SOMMAIRE

1. UNE EXIGENCE POLITIQUE

— *Pourquoi vous êtes-vous engagé en politique ?*

— S'engager, battre un adversaire, faire campagne, tout cela est un peu guerrier. La terminologie politique est trop vindicative. Je préfère l'idée d'un don de soi à une collectivité, l'idée d'une offre de service à une communauté. J'aime beaucoup cette phrase d'Emmanuel Mounier : « L'homme d'action, c'est l'homme qui se donne. »

— *Cela veut dire qu'en politique, on serait mû soit par la volonté de donner soit par l'ambition ?*

— Je n'aime pas trop le mot ambition qui peut parfois rimer avec vanité ou domination. Je ne l'utilise jamais dans les lettres ou les courriers. Pour autant, une certaine forme d'ambition n'est pas incompatible avec l'altruisme. L'ambition, cela peut être une ambition pour les autres, pour un groupe, pour un projet. J'ai toujours eu envie d'être l'avocat des causes désespérées ! Ma mère me voyait missionnaire ! L'un de mes frères est bénédictin. Et la vie politique relève aussi du sacerdoce. Elle comporte plus de sacrifices que de satisfactions.

— *Ceux qui entrent dans les ordres choisissent un monastère ou un ordre bien précis. Vous n'avez pas choisi les Républicains indépendants (futur Parti républicain) par hasard quand vous avez décidé de faire de la politique ?*

— En 1974, à la veille des élections présidentielles, les

Républicains indépendants incarnaient pour moi le renouvellement politique. Valéry Giscard d'Estaing modernisait le CNIP (Centre national des indépendants et paysans), ce qui le rendait proche de la sensibilité politique de mes parents. Il avait 45 ans à l'époque et symbolisait le rajeunissement, l'entrée de la France dans une certaine modernité, dans une période réformiste. Je dois avouer que le projet de Chaban-Delmas de « nouvelle société » avait été également très séduisant pour ma génération.

— *Vous n'étiez pas tenté par le gaullisme ?*

— Non. J'ai toujours eu une méfiance instinctive pour le pouvoir d'apparence autoritaire, pour le culte de l'homme providentiel. L'homme providentiel est nécessaire lorsque la situation dramatique d'un pays l'exige (je pense aussi à Churchill, à Roosevelt), mais en période de paix, le pouvoir doit être à la portée de chacun. Il doit être plus humain et s'inscrire dans le quotidien. Une société moderne, c'est un projet partagé, une œuvre commune. Chacun joue un rôle. Je n'aime pas entendre : « Il faudrait un nouveau de Gaulle. » Que chacun se demande d'abord ce qu'il peut faire pour le bien commun, comment à son niveau il pourrait agir. La notion de démocratie doit l'emporter sur la notion de recours. Chercher un « de Gaulle », c'est se déresponsabiliser à bon compte.

— *Le socialisme d'Épinay, celui de François Mitterrand, n'exerçait-il aucune séduction sur vous ?*

— Encore moins. Le positionnement ambigu par rapport au Parti communiste me semblait suspect. Le « programme commun » m'a donné raison. Max Lejeune (député de la Somme élu par le Front populaire, ancien ministre), que je considérais malgré des idées divergentes comme un modèle de rectitude, en avait tiré les conséquences en quittant courageusement la SFIO au moment de l'alliance PS-PC. Je reste convaincu que l'on peut se tourner vers les autres, être généreux, avoir la fibre sociale sans être obligatoirement socialiste. La tradition familiale voulait que nous ayons des activités bénévoles, notamment dans notre village, à ne plus savoir où donner de la tête, mais nous n'étions pas socialistes. Quand on reçoit beaucoup, on doit beaucoup donner. La véritable solidarité ne consiste pas à assister mais à tendre la main pour relever. C'est l'histoire du poisson et du pêcheur. Mieux vaut apprendre à pêcher qu'à mendier.

— Les années ont passé, quel bilan faites-vous de cet engagement, de ce don que vous venez d'évoquer et qui vous a conduit à exercer différents mandats d'élu ?

— Un bilan très contrasté, au niveau local ou national. Il y a les palais de la République, dont la contemplation prolongée rend vaniteux, et l'action du quotidien, qui rend modeste. Je crains que l'action politique nationale ne privilégie trop souvent le « paraître » et néglige l'action. Cela développe une sorte d'insatisfaction par rapport au pouvoir que l'on exerce. L'action locale rend à l'évidence plus modeste. Cela fait dix ans que je suis maire et j'ai toujours l'impression d'être au début de mon mandat. L'action d'un maire, c'est poser un minuscule gravier dans le joint-béton d'un immense édifice. Les sept siècles de la cathédrale d'Amiens me rappellent qu'un tel édifice ne se construit pas en six ans. Les premiers bâtisseurs de cathédrales savaient qu'ils ne verraient pas leur œuvre terminée. Les architectes ont composé les plans, entrepris les soubassements puis sont morts. D'autres ont pris la relève, etc. À leur image, un élu ne doit pas satisfaire des pulsions mégalomaniaques mais travailler sur le long terme et préparer des fondations solides pour les générations suivantes.

— D'un point de vue national, avez-vous le sentiment que les choses aient progressé ou se soient dégradées ?

— La vie politique française se dégrade. À la différence de beaucoup de pays d'Europe. Quelles en sont les raisons ?

Elles sont nombreuses. La cohabitation qui bride le moteur de notre république, la médiocre représentativité de l'Assemblée nationale composée de 35 à 40 % de fonctionnaires, la décentralisation qui est inachevée et compliquée, l'absence d'un véritable statut de l'opposition, le rôle insuffisant des femmes, les « affaires » bien sûr. Ce constat est connu et comme les autres j'y ai ma part de responsabilité. Je déplore aussi le manque de simplicité des grands élus vis-à-vis du peuple. Aux Pays-Bas, la reine fait du vélo en ville. Le 10 Downing Street n'a rien d'un palais. Beaucoup de responsables politiques français préfèrent se mettre à l'écart de cette simplicité et se coupent du peuple. Heureusement, Jacques Chirac, depuis son arrivée, incarne une présidence plus décontractée, plus républicaine. On n'a plus l'impression d'arriver à Versailles quand on se rend à l'Élysée. Pardon ! Au « Palais » de l'Élysée. Drôle de vocabulaire républicain... pour un lieu dont les pièces construites après la monarchie sont plus chargées en dorures, lambris et cristaux que les salons Louis XV et Louis XVI.

— *Mais davantage que le système politico-administratif et les salons en or de la République, n'est-ce pas plutôt l'excès du discours économiste et gestionnaire qui est en cause ?*

— L'économie est le moteur indispensable au développement mais devenir le pays le plus riche du monde n'est pas un idéal. Beaucoup d'hommes politiques croient qu'ils seront réélus parce qu'ils auront exclusivement augmenté le pouvoir d'achat ou baissé les impôts de leurs concitoyens. Ils se trompent. Les gens ont surtout besoin de sens et d'idéal. Dans leur vie de tous les jours, les Français pensent à l'éducation de leurs enfants, à leurs loisirs, à la qualité de leur environnement, de leur logement, de leur quartier, à leur santé. Ces sujets, l'homme politique de droite hésite parfois à les aborder. Les élus de gauche, une fois au pouvoir, oublient ces questions essentielles dans leurs fonctions gouvernementales au nom du réalisme.

Le débat économique est certes nécessaire mais moins

essentiel depuis la chute du mur de Berlin et les avancées de la construction européenne. Il ne structure plus comme autrefois le clivage entre la droite et la gauche. Le vieux conflit entre socialisme et capitalisme a perdu de son actualité et les socialistes ont fait la preuve de leurs capacités à gérer notre pays... en ressemblant étrangement à la droite. Ils baissent le taux d'intérêt des livrets d'épargne, privatisent les entreprises publiques à tour de bras. On est bien loin des scrupules du « ni-ni » (ni privatisation ni nationalisation) qui fut le discours de gauche à une certaine époque... Du point de vue du questionnement, comme disent les philosophes, la gauche a pris de l'avance. Elle a consacré plus de temps à repenser ses convictions à l'aune de cette victoire de l'économie de marché sur l'économie planifiée. Cet exercice d'actualisation, la droite ne pourra y échapper non plus au risque d'être totalement marginalisée. Et ce n'est pas fait d'avance car une partie de la droite considère le pouvoir comme un dû et l'alternance comme illégitime.

— *Vous n'êtes pas le premier à dénoncer le retard de la France en matière de modernisation de la vie politique par rapport à ses voisins...*

— Les gouvernements se suivent mais aucun n'a le courage de repenser la façon de vivre la politique. La Constitution a été modifiée dix fois depuis 1958 mais elle n'a jamais été réellement remaniée. Les longues périodes de cohabitation portent une lourde part de responsabilité dans cette inertie. Quoi qu'il en soit, il faudra tôt ou tard penser à une République plus simple, plus décentralisée, plus en phase avec le fonctionnement de l'Union européenne (qui n'existait pas en l'état en 1958). Un État stratège plutôt qu'omniprésent. J'ai le sentiment que les politiques considèrent trop la démocratie comme une chose définitivement acquise. Ils ne la cultivent pas assez. Ils ne la protègent pas. Ils ne la développent pas suffisamment. Un jour, le président libanais, Amine Gemayel, m'a confié cette jolie phrase : « En démocratie, on se croit fort, alors qu'en réalité on est d'autant plus fragile qu'on est démocrate. »

— Les institutions, les structures de la vie politique, sont donc inadéquates ?

— Pas une entreprise ne survivrait à une organisation aussi complexe. Ce manque de simplicité dans l'exercice du pouvoir s'accompagne d'une trop grande complexité de nos institutions. La décentralisation « à la française » compte six échelons (l'Europe, l'État, les régions, les départements, les structures intercommunales, les communes) et semble tellement compliquée que le citoyen non initié confond tout. Les élus se complaisent dans un système qu'ils sont les seuls à comprendre, et où l'on peut faire sa petite tambouille à l'abri des regards indiscrets. Ce n'est pas de la démocratie mais un jeu d'initiés. À tel point que l'on pourrait parler d'un délit d'initiés contre la démocratie.

— Et la place des femmes ? La vie politique ne serait-elle pas moins compassée si davantage de femmes occupaient des postes de responsabilité ?

L'action des femmes en Corse et en Algérie montre que la démocratie a tout à gagner en développant la présence féminine en politique. Intuitives et concrètes, sérieuses et économes, probablement moins avides de pouvoir, elles apportent déjà beaucoup au monde politique. Pas tellement en France, c'est vrai, puisque nous sommes, avec la Grèce, le pays d'Europe occidentale le plus « macho » !

Dès lors, comment parler de démocratie achevée lorsque au niveau national et local les femmes sont sous-représentées, pour ne pas dire absentes : 5 % des parlementaires, 5 % des conseillers généraux et 5 % des maires sont des femmes. Pour la participation des femmes à la vie politique, la France est au 65e rang mondial derrière la Tunisie et l'Algérie !

Pour expliquer ce retard, les experts ont longtemps invoqué la difficulté de concilier vie familiale et vie sociale (alors que le nombre d'enfants par famille française va en diminuant). Les pays où les femmes sont le plus présentes dans la vie politique pratiquent la réduction du temps de travail et les assemblées ne tiennent pas leur séance le jour où les enfants sont à la maison. Une petite enquête chez nos voisins européens montre que le rôle du législateur est déterminant pour inciter les partis politiques à constituer des listes équilibrées. Au Danemark, les femmes occupent le tiers du parlement, aux Pays-Bas et en Allemagne près du quart. Dans ce pays, le président du Bundestag est une présidente. C'est aussi le cas de la Finlande qui est présidée par une femme. À quand la France ?

L'exemple plus modeste d'Amiens montre que le scrutin de liste est le moyen idéal d'inverser rapidement la tendance (le conseil municipal de ma ville compte 40 % de femmes). Il peut s'appliquer aux élections municipales, régionales, sénatoriales et européennes sans difficulté. La proposition de loi que j'ai cosignée avec Nicole Ameline en 1996 modifierait, si elle était votée, les articles du Code électoral en stipulant qu'à l'avenir les listes de candidats ne pourront comporter plus de deux tiers de personnes du même sexe. Au terme d'une période de dix ans, nous pourrions faire un premier bilan qui devrait être positif. Depuis trois ans, aucun groupe parlementaire de droite n'a osé l'inscrire à l'ordre du jour de l'Assemblée nationale. Nous avons essuyé un feu nourri contre cette initiative quand nous avons proposé la discussion de ce texte au Parlement. Quelle opportunité manquée pour l'ancienne majorité de montrer sa modernité en favorisant la représentativité féminine en politique ! La gauche ne s'y est pas trompée en proposant un texte à l'Assemblée. Texte voté à l'unanimité, y compris par ceux qui avaient refusé le nôtre. Une occasion encore ratée à droite de prouver sa sensibilité pour une démocratie vivante et ouverte sur toute la société.

— *Mais, si c'est si simple, qu'est-ce qui manque aujourd'hui pour passer à l'action ?*

— La volonté politique.

15

— *Elle fait défaut ?*

— J'ai posé cette question à de nombreux collègues. Tous me répondent : « Sur le fond tu as raison, mais cela ne se fera jamais. »

— *Pourquoi ?*

— Par conservatisme. Pour convaincre le monde politique de bouger, il faudrait une mobilisation de toute la population excédée par la distanciation entre le pouvoir et eux. Beaucoup d'élus ne se rendent pas compte que notre démocratie en est encore à l'adolescence. L'un des principaux freins au changement, c'est la volonté de faire carrière, la volonté de rester longtemps en place quitte à faire du sur place, de durer, donc de faire le moins de vagues possible. Je crois qu'un homme politique bien inspiré devrait se dire que même s'il ne reste que six semaines au pouvoir en ayant fait quelque chose d'utile, il aura mieux rempli son contrat qu'en s'accrochant durant des lustres à un pouvoir de contemplation.

Je suis frappé de voir que ce constat est d'ailleurs le même que celui que faisait Tocqueville. L'intuition de Tocqueville, il le disait dès le début de la monarchie de Juillet, était que les démocraties sont moins menacées par des mouvements révolutionnaires anarchiques que par l'immobilisme.

— *Quelles solutions préconisées par Tocqueville vous semblent actuelles ?*

— La décentralisation (le développement des associations et des libertés locales), le respect de l'État de droit, la conscience religieuse. Il y a toujours chez Tocqueville cette volonté de ne pas laisser l'individu seul face à l'État. C'est ce que décrit bien de nos jours le sociologue Pierre Rosanvallon. C'est aussi la pensée de Raymond Aron. La Révolution française a peut-être eu certains mérites en termes d'unité nationale mais elle a aussi sapé, décapité si j'ose dire, toutes les institutions intermédiaires qui permettent à une société démocratique de défendre ses libertés et de respirer. Nos contre-pouvoirs — syndicats, collectivités locales, associations — ne sont pas assez puissants. L'omniprésence de l'État étouffe la liberté individuelle. Or, en contrepoids d'un État républicain, la somme des libertés individuelles bien exprimées fonde le dynamisme et la vitalité d'une nation.

— *Si vous le voulez bien, reprenons ces trois concepts démocratiques avec d'abord la décentralisation.*

— La politique, c'est la « polis » grecque, c'est-à-dire la gestion de la cité. L'homme politique le plus proche du public, de l'avis de tous ceux que l'on interroge, c'est le maire.

— *Pourquoi ?*

— C'est le maire qui répond aux difficultés du quotidien. Lors des permanences, les questions portent sur les allocations familiales, le logement, les questions liées au divorce, les impayés de cantine mais aussi les questions d'organisation de la seconde cellule de notre société après la famille, la structure communale. C'est grâce à ce contact privilégié, celui de la démocratie de proximité, au pouvoir qu'il a de répondre à l'attente des citoyens, qu'un maire garde une certaine « aura » auprès des citoyens. Je crois aussi que le scrutin municipal est un modèle du genre. Il permet la représentation des différents courants politiques tout en assurant une véritable majorité au maire. On le doit, c'est vrai, à la gauche de 1981 !

— *La décentralisation est pourtant très souvent décriée. On lui met sur le dos les problèmes de corruption, les gaspillages de fonds publics, et puis surtout on dit qu'elle menace l'égalité républicaine. Regardez les craintes des enseignants par exemple...*

— La haute fonction publique n'a jamais accepté la décentralisation. Elle n'a de cesse de vouloir récupérer les pouvoirs perdus à cette occasion et ne manque jamais d'instruire son procès. Mais votre dernière remarque sur l'égalité républicaine est intéressante, sur l'égalité des moyens j'entends. L'argument classique consiste à dire qu'avec la décentralisation, les régions riches seront encore plus riches, et les régions pauvres encore plus pauvres. Sur cette remarque, je ne suis pas loin de penser l'inverse, et je sais de quoi je parle étant élu local d'une ville et d'une région pas particulièrement riches, loin s'en faut. À condition qu'il existe une bonne péréquation des moyens financiers au niveau national, je suis convaincu que la liberté locale est au contraire une chance pour les régions défavorisées.

— *Quel exemple avez-vous en tête ?*

— La liberté locale, c'est la possibilité de mettre le « paquet » sur ses points faibles comme par exemple la formation des jeunes, et c'est aussi la possibilité d'être plus malin que les autres. Demandez aux 25 000 étudiants d'Amiens ce qu'ils pensent de leurs locaux universitaires développés et rénovés dans le cadre du plan « Université 2000 ». Grâce à la possibilité offerte aux collectivités locales de participer à ce plan, nous avons pu réunir nos moyens et les concentrer sur l'amélioration de la vie universitaire. Autre exemple : le Futuroscope existerait-il s'il n'y avait pas eu la décentralisation ? Bien sûr que non. Jamais un investisseur privé n'aurait pris un tel risque. Jamais un préfet n'aurait osé faire preuve d'un tel volontarisme, regroupant les moyens sur un projet au lieu de céder aux sirènes de la dispersion et du saupoudrage. Je le dis aux enseignants, aux lycéens et aux étudiants : la décentralisation c'est notre chance à nous, académies ou universités de province, pas toujours favorisées par le climat ou l'environnement socio-économique. C'est notre chance de gagner en étant plus volontaires et plus intelligents que d'autres pourtant mieux lotis au départ. Je vais prendre un exemple, emprunté à mon premier adjoint à la mairie d'Amiens, Roger Mezin. Lens ou Auxerre seraient-elles dans les meilleures équipes de football européennes si la Ligue nationale de football imposait à chaque club son entraîneur, ses joueurs, son système de jeu ? Aucune chance ! C'est la liberté associée à une bonne redistribution des droits de télévision qui leur permet d'être au plus haut niveau malgré tous leurs handicaps de départ. La liberté de former encore mieux de jeunes joueurs, la liberté de choisir l'encadrement technique le mieux adapté à leur culture et à leur projet sportif, la liberté d'inculquer des valeurs de solidarité et de travail. Des exemples comme Auxerre ou Lens, il pourrait y en avoir des centaines dans l'éducation si l'on décentralisait le système. Je suis toujours stupéfait de l'incapacité de certains enseignants à comprendre que le modèle qu'ils défendent à longueur de manifestations est en train de les tuer à petit feu. Quant aux étudiants, n'en parlons pas. J'ai vu avant Noël des étudiants de psychologie et de sociologie se mettre en grève pour protester contre le plan Allègre qui défend l'idée d'introduire d'une manière très minoritaire l'entreprise dans l'université. Comment ne comprennent-ils pas que c'est justement l'entrée de l'entreprise dans leur fac qui va sauver leurs filières, qui va leur procurer les débouchés qu'ils ne soupçonnaient pas ? Dans la publicité, dans les ressources humaines, etc. Vous l'avez compris, je serai jusqu'au bout un farouche supporter de la décentralisation et des libertés locales. Nous crevons de cette culture jacobine qui bâillonne l'initiative et l'esprit d'innovation.

— *Outre les collectivités locales, les associations forment un extraordinaire contre-pouvoir...*

— Si le monde associatif n'existait pas, la société française aurait déjà explosé. Les associations d'insertion — qui permettent aux plus démunis de rester debout —, les associations humanitaires, sportives ou culturelles jouent un rôle majeur dans le maintien du tissu social et de la cohésion nationale. Parfois, elles se divisent un peu trop, et cela devient préjudiciable en termes de subventions ou de mise à disposition d'équipements. C'est l'individualisme gaulois ! Mais globalement elles forment un réseau d'accueil, d'activité, une source d'épanouissement, de générosité qui maille le tissu social de la société française.

— *Mais les associations ont aussi freiné des projets, des avancées architecturales ou des grands travaux (comme le TGV). Leurs intérêts corporatistes n'empêchent-ils pas parfois le progrès ?*

— Les associations jettent très souvent un éclairage profitable sur des problèmes qui, sans elles, resteraient méconnus de l'administration (pour sauvegarder une plante rare, un cimetière gallo-romain ou reloger des sans-abri). Leur combat empêche parfois de faire des erreurs irréparables. Les autorités ont donc le devoir de les écouter puis de décider en fonction de l'intérêt général. La difficulté vient plutôt des associations qui se créent pour défendre des intérêts très personnels. Comme par exemple, essayer d'empêcher la construction d'un gymnase en face de chez soi parce qu'il va vous faire un peu d'ombre, ou d'un immeuble locatif parce qu'il va prendre des places de stationnement dans la rue. Ces combats, je les respecte, mais ils peuvent aussi paralyser une ville. C'est pourquoi nous avons à Amiens suscité la création de vingt-quatre comités de quartier afin de canaliser ces protestations et d'assurer au plus près des habitants une bonne synthèse entre intérêt général et intérêts particuliers. Je trouve que ces comités sont vraiment de formidables contre-pouvoirs associatifs. Ils responsabilisent les habitants et limitent au maximum ce que j'appelle la « démocratie des pétitions », et peuvent éviter au maire de commettre bien des erreurs.

— *Expliquez-nous ce concept de « démocratie des pétitions » ?*

— Il s'agit de ce mauvais réflexe qui consiste à signer une pétition à l'apparition du moindre problème sans avoir au préalable cherché à rencontrer un élu ou un responsable administratif. Ces pratiques ne sont pas le signe d'une démocratie responsable. Quand elles se multiplient, on a bien la preuve que les contre-pouvoirs et la démocratie vivante sont aux abonnés absents. Cela me fait penser à ces mouvements de grève qui débutent alors que la négociation n'a même pas démarré !

— *Justement, que pensez-vous des mutations récentes du syndicalisme ?*

— Les syndicats n'ont pas le choix. C'est le mouvement ou la mort lente. Surtout avec la mondialisation et la construction européenne. Seulement 9 % des salariés français adhèrent à une formation syndicale, ce qui représente le taux le plus faible des pays d'Europe (82 % en Suède, 71 % au Danemark, 39 % en Grande-Bretagne et 33 % en Allemagne). En France, le dialogue social éprouve des difficultés à s'instaurer. L'image du syndicaliste obtus est aussi caricaturale que celle du patron obsédé par le profit. Il serait intéressant d'organiser des assises de la vie syndicale et de briser cette quadrature de cercle.

— *Quelles mesures préconiserez-vous, si de telles assises avaient lieu ?*

— Encourager la responsabilité syndicale, la déconnecter de la vie politique, unifier davantage les syndicats, aborder avec volontarisme la culture de négociation. En Allemagne, véritable exemple à suivre, les salariés décident d'une grève uniquement quand une négociation n'aboutit pas. Les 92 % de salariés syndiqués de chez Volkswagen ont permis à l'entreprise de traverser les pires crises en sauvant 28 000 emplois grâce à l'instauration des 28 heures de travail en période creuse. Une véritable révolution. En France, comme je l'ai dit, on commence par la grève, en expliquant au patronat qu'il se trouve désormais dans l'obligation de négocier. Cette mentalité doit changer. Les patrons français attendent peut-être aussi trop souvent le dernier moment pour négocier alors que « gouverner, c'est prévoir »... En anticipant davantage les conflits et les revendications, on éviterait ainsi bien des grèves. Je suis sûr qu'avec des syndicats unifiés, plus représentatifs et dépolitisés, l'entreprise française réussirait à améliorer les conditions de vie et de travail de millions de salariés. Les syndicats français sont beaucoup trop divisés et trop nombreux. Cela nuit à leur pouvoir et les repousse souvent dans une attitude protestataire. La loi encourage cette attitude en permettant à un seul syndicat, même peu représentatif, de signer un accord d'entreprise. Je serais partisan de renforcer considérablement leur rôle, y compris par la loi, si j'étais sûr de leur apolitisme et de leur désir d'unité.

— *Vous parliez de l'État de droit. Les juges et les journalistes ont-ils joué un rôle important dans la décrédibilisation des hommes politiques nationaux ?*

— Lorsque j'ai vu des amis mis en examen, j'ai d'abord cru que le monde politique allait vaciller. Cette focalisation des juges sur la vie publique et ses travers, et d'autre part l'appétit dévorant des médias pour ce spectacle, pouvaient faire craindre le pire. C'est-à-dire l'ébranlement de notre démocratie déjà bien imparfaite. Si certaines investigations étaient ou sont justifiées, celles qui ne le sont pas font des dégâts à la démocratie française et à la psychologie des personnes incriminées puis innocentées. La cruauté de certaines mises en examen, souvent pour rien (on le constate plusieurs années après), entraîne pour l'intéressé deux peines non réparables. D'abord la condamnation virtuelle même si au terme de la procédure il est innocenté. Le soupçon demeurera dans beaucoup d'esprits. Ensuite, le coût faramineux des procédures et des moyens de défense. Ce qui revient à dire que s'il existe un juge d'instruction qui aime tirer plus vite que son ombre, on peut, avec quelques lettres anonymes contenant des affirmations exactes et non répréhensibles et des accusations fausses mais répréhensibles, faire du tort et blesser à vie son prochain. Cela étant, avec du recul, je crois que les affaires ont le mérite de démontrer que la vie politique est transparente. Elles nous révèlent aussi qu'il y a beaucoup d'enjeux de pouvoir entre les journalistes, les juges et les politiques. Et les citoyens n'ont pas intérêt à ce que l'un des pouvoirs prenne le pas sur l'autre. Ce n'est pas parce qu'une dizaine d'hommes politiques sont mis en examen que les 500 000 élus de l'Hexagone sont corrompus. On se sent parfois très découragé...

— *Cela vous arrive de temps en temps ?*

— Assez souvent.

— *Dans quelles circonstances ?*

— Lorsque l'administration bloque des dossiers pour des raisons futiles. Lorsque l'ingratitude et l'agressivité de ceux que l'on croit aider nous blessent. Quelqu'un n'a pas de boulot, on essaie de le sortir de là. Mais si je n'y arrive pas, est-ce de ma faute ? Certains me disent : « Mais monsieur le maire, j'ai droit à mon boulot ! » Mais je ne suis pas mère Teresa. Et puis d'ailleurs mère Teresa ne faisait pas de miracle, elle non plus. Il m'arrive d'être saturé. Saturé par l'impact des affaires lorsqu'on vous traite de « politicien » comme si nous étions tous corrompus alors que c'est exceptionnel. D'après des enquêtes, les trois activités les plus mal vues sont l'assurance, la politique et la prostitution. Il se trouve que j'en ai exercé deux sur trois, et je tiens à préciser lesquelles : j'ai été assureur et homme politique !

— *Comment sortir aujourd'hui de ce climat des affaires avant qu'il ne sacrifie injustement des générations d'hommes et de femmes politiques ?*

— Ce n'est pas le sacrifice qui m'inquiète le plus mais les conséquences. Sacrifier une carrière, c'est très grave. Sacrifier un pays l'est encore beaucoup plus. Au cœur des affaires, il y a aussi le harcèlement de certains juges qui sur la foi d'un indice vont vous mettre en examen de façon préventive. Pour ne pas rajouter des affaires aux affaires, le respect du secret de l'instruction s'impose. La recherche de la vérité ne doit pas se confondre avec le harcèlement. Et respecter la liberté individuelle. L'homme blanchi est-il libre ?

— *Décentralisation, justice, Tocqueville parlait enfin de conscience religieuse...*

— La séparation de l'Église et de l'État est une bonne chose mais nous sommes l'un des rares pays au monde où les hommes politiques s'interdisent de parler de Dieu. L'éducation chrétienne donne des repères. Plus facilement d'ailleurs dans les pays protestants parce qu'il y a un dialogue direct avec Dieu. J'admire Vaclav Havel lorsqu'il proclame que « notre attente a un sens, parce que générée par la foi et non par la désespérance, une attente inspirée par la conviction que la graine semée prendra racine et germera un jour. Un jour, pour d'autres générations, peut-être ». Dans le livre-programme de Tony Blair, il y avait aussi tout un chapitre consacré à sa foi chrétienne et rassurez-vous, ce n'était pas un plaidoyer pour un nouvel ordre moral !

— *Votre engagement repose sur la conviction qu'une démocratie équilibrée doit favoriser d'authentiques contre-pouvoirs (communes, associations, médias). Comment situer dans ce contexte les partis ? Certains disent que le nombre de partis est trop élevé en France. Cela est-il un signe de modernité ?*

— Pourquoi « trop » ? Avec six ou sept formations majeures, la vie politique témoigne simplement de sa vitalité, de la diversité des opinions dans un monde de plus en plus complexe. La pluralité est gage d'équilibre démocratique. La démocratie ne peut pas supporter l'existence d'un parti unique. Les partis ont d'ailleurs un problème de financement et de communication. Les Français sont contradictoires puisqu'ils réclament des partis modernes et dynamiques et qu'en même temps ils ne leur donnent pas les moyens légaux et financiers de fonctionner correctement. Exemple : à l'exception des périodes de campagne électorale et encore de manière restrictive, toute la communication des partis doit exclusivement passer par les relations avec la presse, par les médias. Le travail des médias n'est évidemment pas en cause. Leur fonction est bien sûr légitime. Mais l'expression directe des familles politiques est néanmoins handicapée par la législation actuelle. Le citoyen rencontre le parti politique, non pas directement, mais par le prisme plus ou moins subjectif des médias. Le citoyen a une vision du couple politique-média et non une vision directe du politique. C'est comme si pour informer sur l'entrée en vigueur de l'euro, la Commission européenne n'avait eu ni le droit, ni l'argent pour assurer la publicité de la monnaie unique. Dans les entreprises, il y a toujours un directeur de la communication et quelquefois un service de presse ; dans les partis politiques, c'est l'inverse. On assiste du coup à cette fameuse tyrannie de l'actualité. Un produit politique de qualité, un homme ou une idée, n'a aucune chance d'exister hors la bonne volonté des médias. Eux-mêmes, dépendant de l'audience, privilégieront le spectaculaire, le temps restreint pendant lequel le spectacle a lieu. Régis Debray dit justement que l'intonation prime sur l'intention.

— *Est-il préférable d'avoir en France plusieurs formations ou deux grandes coalitions ?*

— Plus on se déplace vers le nord de l'Europe, plus l'échiquier est simplifié. Au nord, le bipartisme domine, tandis qu'en Grèce ou en Italie, la situation politique développe une multiplicité de partis. Outre le mode de scrutin qui agit sur le nombre de partis, il existe une dimension culturelle et historique. Le clivage droite-gauche étant de moins en moins pertinent en France, il est assez logique de voir des

25

partis se constituer autour de nouveaux enjeux, l'Europe en étant le principal. Ce multipartisme est surtout visible à droite en raison à mon sens de profonds problèmes d'identité et de racine sur lequel nous reviendrons — je pense. C'est ce qui explique cette tendance à une grande diversité partisane. Les héritages sont multiples. Si nous arrivions dans l'opposition à une coalition de formations solide et bien vécue à l'occasion des scrutins majoritaires, ce serait déjà un progrès !

— *La bipolarisation de la vie politique entre la droite et la gauche fait-elle l'unanimité ?*

— Je ne pense pas que le Parti socialiste ou le Rassemblement pour la République, qui ont pu dans le passé bénéficier du bipolarisme, aient intérêt à remettre le système en cause. Mais le concept de gauche plurielle et maintenant de droite républicaine plurielle montre bien qu'en dehors d'échéances électorales spécifiques comme les présidentielles ou les autres élections à scrutin majoritaire, il existe dans l'opinion et même chez les élus un besoin d'air pur et de liberté au sein des deux blocs.

— *Appartient-il alors à l'UDF d'apporter ce souffle nouveau de modernité, cette respiration ?*

— La modernisation des institutions et de leur pratique, la rénovation de notre démocratie constituent un magnifique défi pour l'UDF.

— *Existe-t-il vraiment un espace entre les libéraux-conservateurs et les socialistes ? Et s'il existe un centrisme, se définit-il par un programme ou par un simple calcul tactique ?*

— Je crois que le centre en tant qu'espace de progrès libéral et social n'a jamais été autant d'actualité. Tout l'enjeu d'un parti modéré est de rassembler ceux qui ne croient ni en un régime d'assistanat ni à la loi de la jungle. Le socialisme a montré ses limites, tandis que l'ultra-libéralisme n'a pas su résoudre la précarité. Le libéralisme que défend l'UDF intègre une exigence d'encouragement aux initiatives tout en s'efforçant de répartir le plus équitablement possible les richesses. Trouver le juste équilibre entre une économie de marché dynamique et une société solidaire est un exercice difficile, mais avons-nous un autre choix ? Tous les Européens aspirent à cet équilibre et c'est ce qui explique notamment l'arrivée au pouvoir des sociaux-démocrates presque partout en Europe. Les formations de droite commencent à le comprendre et récemment José Maria Aznar, le Premier ministre espagnol, a recentré son parti et son programme. Je suis convaincu que les alternances politiques à venir se feront entre sociaux-démocrates d'une part, et libéraux-sociaux d'autre part. Quand les Français seront lassés du gouvernement socialiste, c'est vers les libéraux-sociaux qu'ils se tourneront. Il n'y aura ce jour-là ni désir de « grand soir libéral » ni coup de barre vers l'ultra-droite. Les gens attendent de leurs partis qu'ils canalisent les effets négatifs de la mondialisation, qu'ils la « civilisent » comme l'a dit Jacques Chirac. Pas qu'ils en amplifient les effets et les risques par des mesures ultra-libérales. Attention à une mondialisation oublieuse de ce qui nous est le plus précieux : le lien social, la solidarité, la santé qui sont, avec la liberté, les droits les plus fondamentaux de l'homme.

— *Le Parti socialiste n'a-t-il pas déjà adopté ce « social-libéralisme » ?*

— Le Parti socialiste français est certainement l'un des partis socialistes les moins modernes d'Europe. Je crois même qu'il est le plus rétrograde de tous. Son programme reste largement marqué par le dirigisme, le culte de l'État centralisateur et omniprésent, et l'obsession de la dépense publique. L'obligation plus que l'incitation. La loi plus que le contrat. Manifestement, les socialistes ne font pas tellement confiance aux hommes, aux partenaires sociaux, à la société civile. À certains égards, je trouve que le Parti communiste de Robert Hue s'est beaucoup plus réformé au cours des dernières années que le Parti socialiste.

— On accuse l'UDF de ne plus être à droite...

— Qu'est-ce qu'être à droite ? Le clivage droite-gauche est-il pertinent pour les Français ? J'en suis de moins en moins sûr. Toutes les analyses récentes de sociologie politique démontrent la montée en puissance de nouveaux clivages. En 1981, suite à un sondage Sofres, 43 % des personnes interrogées jugeaient pertinent le clivage droite-gauche. En 1996, nous sommes tombés à 32 %. Européen-anti-Européen, ouvert sur le monde-fermé à ces nouveaux horizons, France urbaine-France rurale, France du secteur public-France de l'entreprise privée, France catholique pratiquante-France laïque, France jacobine-France girondine, France solidaire-France individualiste, etc. On peut multiplier ces oppositions évolutives. Une chose est sûre, nous assistons à l'explosion de ce repère droite-gauche autrefois si typé socio-professionnellement. Les identités sont devenues à l'évidence culturelles, sociétales, beaucoup plus que politiques ou idéologiques, et cela perturbe beaucoup de monde car il y a coexistence entre la logique ancienne et les logiques nouvelles. L'élection européenne à la proportionnelle est une illustration frappante de cette évolution. Il faudra lire et compter les voix européennes transversalement, puis compter les voix dites de droite et de gauche plurielle. Les deux grilles de lecture sont distinctes. C'est un peu compliqué mais l'électeur a des motivations diverses et c'est bien ainsi.

— Faut-il des adversaires en politique ?

— Des concurrents oui. Pour stimuler les projets, leur cohérence, pour accélérer des solutions. Mais des adversaires ? Je ne le crois plus. La politique des bons et des méchants, l'opposition systématique, c'est fini. Mais à la lutte des classes a succédé la lutte des clans et des écuries présidentielles.

— Est-ce vraiment nouveau ?

— Non bien sûr, mais à force d'entretenir le culte de l'homme providentiel, on dévalorise la politique et la démocratie au cœur même des partis, on appauvrit le débat. La politique n'est pas un rituel magique qui désignerait le grand sorcier. Au Swaziland, le chef de l'État s'appelle « le faiseur de pluie ». Tout le monde sait que le grand sorcier français n'a plus ce pouvoir. Les acteurs politiques en subissent les conséquences, ils ont l'air impuissants et cela les humilie. Pourquoi ne pas dire la vérité ? Nous ne sommes ni César ni Napoléon, désolé ! À l'échelon d'une ville, certains administrés m'écrivent pour me demander des conseils matrimoniaux, changer des décisions de justice, empêcher la faillite d'une entreprise, arrêter un meurtrier... Je ne suis qu'un homme, mon budget et mes pouvoirs sont limités. J'ai le goût de la politique car je suis prêt à mobiliser toutes les énergies pour faire le maximum. Je ferai tout mon possible mais pas l'impossible. Je ne sais pas faire tomber la pluie mais peut-être organiser un système d'irrigation... Cela prend plus de temps, c'est moins spectaculaire : c'est cela la politique aujourd'hui.

— L'organisation même des partis ne reproduit-elle pas une logique monarchique ?

— Oui, et c'est une vraie et très négative exception française. Parce que ses leaders ont été trop souvent obsédés par les élections présidentielles, la droite a perdu beaucoup d'élections. La droite a abandonné ses clubs de réflexion pour faire la seule promotion du candidat à l'élection présidentielle. On se met à réfléchir six mois avant l'élection. L'action a phagocyté la réflexion. Or, c'est précisément cette culture de l'image, de la communication à outrance, du coup médiatique, qui atrophie la réflexion et donc naturellement la crédibilité des hommes politiques.

— Mais les partis n'ont-ils pas toujours été des écuries présidentielles ?

— Sous la Vᵉ République, sans aucun doute. Les partis sont des écuries mais les méthodes d'entraînement peuvent varier. Le succès de la gauche aux dernières législatives tient au seul fait qu'elle a su organiser un vrai débat interne. Lionel Jospin, un an avant les élections de 1995, n'incarnait pas le candidat historique du Parti socialiste. Jacques Delors venait à peine de jeter l'éponge.

— *Mais on a l'impression que cela n'est plus possible en France aujourd'hui !*

— Le temps est venu de relancer un peu partout en France des clubs de réflexion. Le temps des militants disciplinés et désintéressés est révolu. Le militant du IIIᵉ millénaire veut réfléchir avec les élus, constituer une force de propositions, participer, chercher en commun un sens à la vie.

— *Tous ceux qui refusent la centralisation, le raidissement idéologique, l'absence d'idées et attendent une alternance douce mais réelle voteront-ils pour une UDF « relookée » ?*

— Après des années de division interne, la nouvelle UDF est aujourd'hui unie. Les composantes ont accepté de se fondre dans un parti unique. C'est un immense progrès car l'organisation passée nous interdisait toute conquête nationale. En 1995, l'UDF n'a même pas pu présenter de candidat à l'élection présidentielle et s'est prononcée pour le candidat Balladur, certains préférant d'ailleurs voter Jacques Chirac dès le premier tour. Sans compter la candidature Millon. Localement, nous avions toujours beaucoup d'élus. Nationalement, nous ne pouvions jouer qu'un rôle de supplétif. Sur le fond, nous étions une vraie force de propositions comme sur l'Europe par exemple. Sur la forme, nous laissions à d'autres, comme disait Cyrano, « cueillir le baiser de la gloire ». Désunis, nous perdons la présidence du Sénat. Unis quelques semaines plus tard, nous récupérons la présidence de la région Rhône-Alpes et nous affirmons nos convictions européennes. Certains observateurs disent en ce moment : « Tiens l'UDF est de retour. » Il n'y a pas de mystère. C'est le résultat de l'unité d'une famille politique.

— *Mais n'y a-t-il pas eu un déplacement vers la droite de l'électorat de l'opposition ?*

— Ceux qui le prétendent commettent une erreur d'optique. Ce n'est pas parce que les Français souhaitent davantage de force de caractère chez leurs élus, davantage d'autorité et de morale publique, davantage de fierté nationale et de respect des traditions qu'ils veulent un projet ultra-libéral et ultra-conservateur. L'importance du vote du Front national a été mal interprétée par beaucoup d'élus de droite. Beaucoup ont pensé qu'il leur fallait donner un grand coup de barre à droite pour éviter un vote Front national. Avec cette tactique, ils n'ont rien évité du tout, et en plus ils ont perdu tout un électorat modéré qui, culturellement et historiquement, n'a rien à voir avec un soi-disant héritage de droite. Une démocratie a besoin d'une majorité et d'une opposition. Elle n'a pas nécessairement besoin d'une droite conservatrice héritière du monarchisme conservateur, anti-dreyfusard, et ultramontaine opposée à une gauche républicaine et démocrate. Je ne crois pas que l'analyse de René Rémond sur les trois droites soit vraiment pertinente. Une majorité de députés de droite ont un héritage politique très proche de celui d'une majorité de députés de gauche. Les députés les plus à droite ont presque tous perdu leur circonscription en juin 1997. Ou s'ils passaient habituellement au premier tour, ils ont dû cette fois-ci se résoudre à un deuxième tour hasardeux. Les grandes villes dont les maires sont UDF ont souvent bloqué le Front national à des niveaux modérés. Les valeurs d'altruisme, de solidarité et d'équité sont suffisamment fédératrices pour constituer une majorité.

— *Comment situez-vous l'avenir du Rassemblement pour la République et de son chef, Philippe Séguin ?*

— L'avenir du RPR, c'est de suivre le discours de campagne de Jacques Chirac sur la cohésion sociale et de ne pas céder aux pressions ultra-libérales. Philippe Séguin incarne tout à fait bien ce gaullisme contemporain pragmatique et humaniste. L'Europe est son seul problème. Il a voulu naître sur le non à l'Europe et aujourd'hui il voudrait exister sans naissance sur le oui.

— *Dans cette projection, comment voyez-vous l'avenir des extrêmes, le Parti communiste et le Front national ?*

— Il y aura toujours des partis de ce type, mais je pense et je souhaite que l'avenir les marginalise de plus en plus. J'appelle de mes vœux les partis de gouvernement à améliorer notre démocratie et faire ainsi reculer ce vote extrémiste. Le conflit Mégret-Le Pen est symptomatique des difficultés des partis purement protestataires. Au bout d'un moment, certains cadres ne supportent plus de ne jamais exercer le pouvoir et expriment alors des positions plus réformistes. Très vite, il y a scission et explosion.

— *Une partie de l'électorat de droite n'a pas compris quand ce dernier été vous avez déchiré votre carte de Démocratie libérale devant les caméras de télé.*

— Peut-être, mais la situation devenait insupportable. À l'époque, j'ai parlé de démission-libération. C'était exactement ce que j'ai ressenti. Il fallait une fois pour toutes tracer la ligne à ne pas franchir. Et dans la torpeur du mois d'août, il n'y avait qu'un geste un peu médiatique pour faire prendre conscience aux Français de l'importance de cette question des alliances et des rapprochements avec le Front national. Le libéralisme et l'extrémisme sont incompatibles, ils sont même aux antipodes. Je voulais faire comprendre aux Français que le renouveau de l'opposition passerait davantage par l'expression de ses propres convictions républicaines que par la compromission avec l'appareil de l'intolérance. Ceux qui ont trouvé mon geste théâtral sont ceux qui pensent que le concubinage avec le Front national est « un point de détail » de l'histoire politique contemporaine.

— *Découper votre carte en direct, était-ce prémédité ?*

— Je l'ai décidé une heure avant. Ce geste s'est imposé à moi parce qu'il fallait vraiment être compris. Je n'en ai même pas parlé à Marc Foucault, mon directeur de cabinet alors en vacances. Je lui ai annoncé mon intention de quitter Démocratie libérale. Puis je suis repassé par la mairie pour récupérer une paire de ciseaux.

— *Vous avez été peu soutenu dans cette affaire.*

— J'aurais aimé plus de courage de la part de certains élus. Certains silences m'ont fait mal. Ils marquent plus que bien des communiqués de presse. En revanche, j'ai reçu des centaines de lettres de soutien. La France républicaine et modérée existe bien. Elle n'a pas une culture d'action ou de manifestation mais elle sait tenir un stylo et exprimer ses convictions. De plus, le déroulé de la nouvelle élection en région Rhône-Alpes m'a montré que beaucoup d'élus, à commencer par Raymond Barre, étaient sur une ligne identique. C'est aussi à la suite de ce geste du mois d'août qu'avec Bernard Lehideux, Alain Lamassoure, Renaud Donnedieu de Vabres et quelques autres députés, nous avons créé le PRIL (Pôle républicain, indépendant et libéral), au sein de l'UDF, pour sauvegarder notre idéal. Nous avons d'ailleurs apporté le PRIL à l'UDF en décembre 1998 lors de l'unification de cette famille libérale et sociale.

— *Beaucoup d'électeurs de droite pensent néanmoins que seul un rapprochement avec l'extrême droite peut permettre à leur camp de revenir au pouvoir. Comment espérez-vous les convaincre qu'ils font fausse route ?*

— L'alliance avec le Front national est une faute morale doublée d'une grossière erreur stratégique. Une faute morale car les responsables du Front national véhiculent des idées incompatibles avec les principes élémentaires de respect de la dignité humaine. Les relations avec les républicains allemands de Schonhuber (ancien Waffen-SS), les déclarations de Mme Mégret sur l'inégalité des races, l'exposition organisée à Orange sur Gobineau, le théoricien du racisme, le point de détail... prouvent bien que le Front national n'est pas un reaganisme musclé ou un prolongement de la droite comme certains voudraient nous le faire croire. Je ne peux admettre que des élus qui se disent « démocrates », « républicains » ou « libéraux » trouvent des circonstances atténuantes à de telles références. Je préfère perdre des élections que donner une honorabilité à des propos incompatibles avec ma conscience d'homme et de citoyen.

Tout rapprochement serait aussi une faute stratégique : ceux qui croient que l'addition des voix droite + Front national = victoire se trompent lourdement. D'abord parce que de nombreux électeurs du Front national ne sont pas des électeurs de droite mais des électeurs protestataires de gauche. La région Provence-Alpes-Côte d'Azur ne votait pas Front national en mai 1981 mais François Mitterrand... Ensuite parce que l'alliance de certains membres de l'opposition avec l'extrême droite nous a fait perdre des électeurs du centre-droit par centaines de milliers aux dernières élections cantonales.

Aucun rapprochement n'est possible ni efficace avec le parti de l'exclusion. Tendre la main au Front national, c'est se la faire broyer. En s'alliant avec le Front national, les libéraux seront rapidement balayés, absorbés, aveuglés par leurs alliés. Souvenons-nous de Churchill parlant des accords de Munich : « Ils ont choisi le déshonneur pour éviter la guerre, ils auront le déshonneur et la guerre. »

— *Du coup, vous avez quitté Démocratie libérale, le parti d'Alain Madelin.*

— Quitter Alain Madelin ne m'a pas beaucoup dérangé. Cela m'a plutôt soulagé à vrai dire. Déjà, je m'étais opposé au printemps à la décision d'Alain Madelin de quitter la confédération UDF pour créer dans la division son parti à lui. D'une chapelle de l'UDF, il faisait une sacristie pour des raisons de stratégie présidentielle. Moi, je voulais au contraire mettre fin aux composantes de l'UDF et faire une belle cathédrale unitaire dont les fondations sont les convictions et non les compromissions. Avec beaucoup d'autres, nous le faisons mais sans Alain Madelin, et je suis sûr qu'il le regrette aujourd'hui car son parti devient une simple force d'appoint du RPR avec un capital de notoriété proche de zéro. En revanche, pour revenir au début de ma réponse, quitter des amis, des militants du Parti républicain, a été un déchirement.

— *Qui, par exemple ?*

— Ils sont nombreux, Jean-Claude Gaudin, Jean-Pierre Raffarin, Pierre Cardo, Denis Jacquat, Nicole Ameline, Jean-François Mattei. Et tant d'autres qui se reconnaîtront. Mais ils reviendront à l'UDF, j'en suis certain. Comme l'aurait dit Léon Blum : « Nous garderons la vieille maison... »
Nous avons la même idée de la France et de la démocratie. Une France rassembleuse et généreuse. Une France humaniste.

— *Alain Madelin rejette lui la responsabilité de la scission sur François Bayrou qui, le lendemain des régionales, annonçait en solo sa volonté de créer un grand parti centriste.*

— C'est un prétexte. Alain Madelin serait parti de toute façon. L'annonce de François Bayrou était peut-être précipitée dans la forme mais, au lendemain des régionales, l'essentiel était de montrer que l'UDF n'avait rien à voir avec les présidents de région alliés avec le Front national.

— *Vos relations avec Alain Madelin ont toujours été très conflictuelles ?*

— Pas toujours. En fait, le point de départ de notre différend, c'est la décision non concertée de François Léotard de confier la présidence du Parti républicain à Alain Madelin au lendemain de la défaite des législatives. Je n'aimais pas la méthode et je trouvais incroyable de confier la présidence du mouvement à celui qui, contrairement à tous les cadres du parti, avait ostensiblement choisi dès le premier tour des présidentielles de refuser la démocratie interne. Une vraie prime à la déloyauté politique. D'autant que nous étions nombreux au Parti républicain à apprécier l'homme Chirac et la tonalité sociale de sa campagne. Et pourtant, nous étions restés loyaux à la décision démocratique de notre parti de soutenir au premier tour Édouard Balladur. Beaucoup de lecteurs n'aimeront pas cette cuisine politique mais ceux qui sont dans un parti comprendront ce que j'ai ressenti à ce moment-là. Sans parler bien sûr de l'appropriation du Parti républicain par les ultra-libéraux. Mais cela, c'est presque accessoire par rapport à ce problème de manque démocratique à l'intérieur d'une formation politique qui se dit libérale. Je rappelle que le libéralisme, avant d'être un discours économique, est d'abord la recherche d'une démocratie aboutie.

— *Vous en voulez à François Léotard ?*

— J'ai des regrets. Parce que ce n'était ni une attitude démocratique, ni une décision juste, ni une bonne solution pour l'avenir et les faits m'ont donné raison. Mais je n'oublie jamais que c'est grâce à François Léotard que j'ai pu constituer une liste pour la mairie d'Amiens en 1989.

— *La droite doit-elle s'occuper des problèmes d'environnement ? Les Verts, aujourd'hui à gauche, pourraient-ils un jour se retrouver auprès de vous ?*

— La droite a eu tort de ne pas prendre au sérieux et assez tôt les problèmes d'environnement qui traduisent le souci de l'intérêt général dans un électorat diplômé et souvent jeune. De nombreux maires de droite montrent chaque jour, sans pour autant se forcer, qu'ils sont de vrais écolos. Les Verts rentrent progressivement dans le petit jeu de la politique politicienne. Leur programme devient vague. Au gouvernement, ils renient leurs engagements dans le domaine du nucléaire. Ils vont donc se banaliser en perdant leur message en faveur de l'environnement. De plus, ils se radicalisent en *lobbying* de gauche. Le message du développement durable est à reprendre plus intelligemment. Les préoccupations de l'électorat écologiste sont en tout cas compatibles avec un programme humaniste et libéral. La nouvelle UDF doit et peut répondre à cette attente de fraîcheur.

— *Les Français ne sont-ils pas dégoûtés du clientélisme ?*

— Il me semble absurde de se présenter comme défenseur d'une partie de la société : les enseignants, les ouvriers, les fonctionnaires, les petits commerçants, les cadres. L'intérêt général prime sur l'intérêt corporatiste. Ce serait une bonne chose pour la droite, par exemple, de dire une fois pour toutes que nous ne sommes pas les porte-parole du patronat et de nous comporter conformément à nos dires ! Et pour la gauche, de sortir du ghetto électoral des syndicats d'enseignants ! Le politique est au service de tous. L'intérêt général est le fil directeur. Et l'écoute de tous les points de vue nourrit la réflexion et les propositions des acteurs politiques. La droite a commis une grave erreur en se coupant des salariés, des fonctionnaires, des intellectuels, des minorités sociales. La gauche, elle, reste prisonnière de ces mêmes groupes de pression et perd de vue l'intérêt général.

— *Les homosexuels par exemple ?*

— Entre autres. Qu'est-ce qui empêchait nos majorités de droite de se préoccuper de leurs difficultés et de leur tragédie liées au sida ? Qu'est-ce qui empêchait la gauche de conforter la famille dite traditionnelle tout en proposant des solutions pratiques aux couples non mariés principalement homosexuels ? Il y avait pourtant là l'occasion de réconcilier les deux « France » qui, la même semaine, défilaient contre le PACS et saluaient l'attitude courageuse de notre championne de tennis, Amélie Mauresmo.

— Alors quel est le rôle de l'acteur politique ?

— Concilier des aspirations et donc des différences, pour permettre à chacun de s'épanouir en ne laissant personne de côté. Favoriser la vie harmonieuse et si possible fraternelle entre les habitants d'une même entité : quartier, commune, pays, planète.

— Et quel rôle doit-il jouer face à la technocratie ?

— La dominer. Pour la ramener au niveau de l'outil. Le savoir théorique, le culte du diplôme ne doivent pas suppléer l'action. Beaucoup de cerveaux formés chez nous vont travailler à l'étranger. De même, la vie politique française rend difficile l'accès des assemblées aux non-fonctionnaires. Les jeunes énarques trouvent dans les fonctions électives une filière pour leur carrière, privant du même coup des jeunes, des femmes, des entrepreneurs d'une possibilité de mandat électif. C'est vraiment incroyable. À l'origine, l'emploi à vie fut donné aux fonctionnaires pour les protéger des influences politiques, à la différence d'autres pays qui pratiquent le « spoil system », le système des « dépouilles ». Et que constate-t-on en France ? Que près de la moitié de l'Assemblée nationale est composée de fonctionnaires ! En Grande-Bretagne, lorsqu'un fonctionnaire veut se présenter aux élections, il doit démissionner. En France, nous avons une si grande admiration pour la haute administration que ceux qui ne sortent pas de ce moule ont quelque risque d'être en situation difficile lorsqu'ils viennent contrarier les ambitions politiques des « fonctionnaires politiques ». Regardez Pierre Bérégovoy (autodidacte), Alain Devaquet, les « juppettes » (enseignante, docteur...), Jean Arthuis,

38

Édith Cresson (HEC) lorsqu'elle était Premier ministre, Catherine Trautmann ou Claude Allègre, aujourd'hui sur la sellette.

— *A-t-on été injuste à l'encontre d'Édith Cresson ?*

— Une femme Premier ministre aurait pu nous aider à faire avancer le débat sur la parité. Édith Cresson a fait les frais de la misogynie et de l'énarchie en France.

— *Comment remédier à cette captation de la fonction élective par la fonction publique ?*

— Créer un statut de l'élu.

— *Et mieux rémunérer les élus ?*

— Non, c'est secondaire. Le problème essentiel est le retour au métier d'origine si l'on n'est pas réélu. Il n'y a que les fonctionnaires qui ont un tel parachute. Les cadres et à un degré moindre les professions libérales ne peuvent se payer ce luxe. Le fonctionnaire qui décide d'entrer dans la vie politique devrait renoncer définitivement à la fonction publique à la fin de son premier mandat.

— *Vous avez exercé une profession libérale, en avez-vous souffert face à vos camarades énarques ?*

— Comme tous les Français, j'admire leur facilité d'élocution, la planification de leur pensée, leur culture générale. Mais leur grande capacité d'analyse ne se double pas toujours d'une capacité d'agir. L'énarque s'arrête souvent à une analyse pertinente mais n'en tire pas toujours les enseignements pour l'action. Leurs analyses font souvent bon marché des comportements humains, des enjeux de pouvoir et des rapports de forces. Heureusement, il y a des exceptions qui se reconnaîtront. François Perroux, le grand économiste, a dit un jour : « Le pouvoir, ce grand absent de la pensée économique. » Il avait raison et c'est ce qu'a bien montré ensuite la fameuse théorie des jeux. J'ai tendance à être le contraire. Je crois être un homme d'action dépourvu de cette capacité d'énarque ou de polytechnicien à conceptualiser. Je teste comme les hommes de marketing, je fais des expérimentations, j'écoute plus que je ne parle, j'organise des débats, je réunis les élus, je les laisse s'engueuler ensemble et puis hop ! J'ai l'impression que la bonne voie est là et je décide. C'est très pragmatique et ça fonctionne... sous le regard condescendant des « politiquement correct ».

— *Pour entrer au gouvernement, il vaut mieux être énarque et pas élu local ?*

— Demandez à Georges Frêche, le maire de Montpellier, à Dominique Baudis, le maire de Toulouse, à Jean-Marc Ayrault, le maire de Nantes, à Jean-Louis Borloo, le maire de Valenciennes, ce qu'ils en pensent. Les élus locaux gênent car ils sont concrets et actifs. Ils ont aussi l'habitude d'une administration locale qui, tout en étant très loyale et très compétente, sait rester à sa place. L'énarchie n'aime pas les vagues. Et des vagues dans une collectivité locale, on est amené à en faire tous les jours pour faire avancer les choses.

— *Redonnons donc la primauté à l'action ?*

— La France a besoin d'une génération d'hommes politiques qui veulent bouger. Prendre des risques en passant à l'action. Il y a à Paris une sorte de vénération du « politiquement correct ». J'ai parfois l'impression qu'on ne cherche même plus à comprendre les fondements d'une affirmation. La forme prime sur le fond, la musique couvre les paroles, le vernis cache le sens.

— *Et venir comme vous d'une aristocratie très ancienne, c'est un atout ou un handicap ?*

— J'ai toujours considéré que cela me donnait un supplément de devoirs. Peut-être aussi, certains trouveront cela paradoxal, suis-je moins tenté que d'autres de regarder dans le rétroviseur. J'éprouve peu d'attraits pour la nostalgie, et l'histoire ne m'intéresse que si elle est source d'inspiration pour l'action.

2. LA POLITIQUE,
UN STYLE, UNE ÉTHIQUE

— *Comment concevez-vous de vivre autrement la politique ?*

— La politique française manque de simplicité, je vous l'ai dit auparavant. Lorsque vous visitez les salons de l'Élysée, vous vous apercevez que la décoration est d'autant plus dorée et prétentieuse que l'on se rapproche de la République. Le style Louis XV est finalement plutôt sobre. L'Empire apporte une touche supplémentaire de pompe. La salle des fêtes 1900, construite en pleine période républicaine, devient un mélange de rouge, de dorures et d'apparat qui cherche manifestement à éblouir. C'est assez amusant à observer.

— *L'Élysée se rapproche plus de Buckingham Palace ?*

— Dans le style, Jacques Chirac, actuel locataire, a bien corrigé le tir. Il est resté lui-même malgré le décor, inaugurant un style d'une plus grande simplicité dans l'exercice de ses hautes fonctions.

— *Et il vous arrive de dire aux Amiénois : « J'ai fait une erreur en construisant tel bâtiment » ou « Je n'en sais rien » ?*

— Oui, et quand je ne sais pas, j'ouvre une enquête dans le journal municipal. La réflexion sur le parvis de la cathédrale a mis cinq ans. C'est la preuve d'une longue maturation. Édouard Balladur jouait à merveille sur ce registre du doute et de la fausse humilité... Il avait surpris en reconnaissant publiquement certaines erreurs et en rapportant des décisions qui manifestement lui paraissaient médiocres.

— *L'homme politique doit-il être plus proche des citoyens et le citoyen avoir davantage accès à sa vie privée ?*

— Je fais souvent des émissions de radio ou de télévision, mais je n'ai pratiquement jamais accepté de reportages chez nous malgré l'insistance de revues très « people » ?

— *Je vous interromps une seconde : n'y a-t-il pas eu de ce point de vue une dérive des hommes et des femmes politiques qui tend à être corrigée aujourd'hui ?*

— La politique, c'est autre chose que le show-biz, la médiatisation nombriliste. Ce n'est pas par sa vie privée que l'on présente un projet de vie pour la collectivité. Chanter sur scène, exhiber ses enfants dans la maternité, etc., cela ne me paraît pas correspondre au travail d'un ou d'une élue. Nous n'avons pas à suppléer le manque de famille royale qui nourrit l'imaginaire et les ragots en Grande-Bretagne. Notre rôle à nous, c'est de trouver des réponses pour loger un SDF qui est sans toit un vendredi soir à 23 heures. Certaines communes riches et proches de Paris pourraient certainement nourrir dix à cent fois plus de SDF que ma commune, mais ce vendredi soir, c'est à moi de trouver la réponse.

— *L'homme politique doit parler comme tout un chacun ?*

— Il faut choisir entre « mentir comme un énarque » ou « parler comme on respire ». Par mentir, je veux évidemment dénoncer le discours « politiquement correct ». Dire ce qui plaît et non ce qu'on pense.

— *Le succès d'un « Dany le Rouge » vient-il de cela ?*

— Oui, mais je ne suis pas certain qu'il puisse pour autant endosser la fonction d'un homme d'État, encore moins d'un chef d'État. Il y a des effets de mode qui ne durent pas (comme Bernard Tapie). La simplicité, ce n'est pas forcément l'esbroufe. Je suis un peu méfiant, c'est mon côté picard. On est un peu sceptique vis-à-vis de ceux qui font irruption sur scène. Et puis je regrette tellement cette dictature des médias qui exclut du jeu politique ceux qui n'y sont pas à l'aise. C'est pourquoi je me battrai jusqu'au bout pour faire régner la démocratie dans les partis. Est-ce que Jospin serait Premier ministre si, tombé au plus bas, le Parti socialiste n'avait pas décidé de faire une vraie consultation démocratique pour désigner son leader ?

— Oui, mais précisément, ce qui caractérise l'homme politique dès qu'il a fait ses premiers pas, c'est la tentation de la permanence et de la durée...

— C'est une erreur de penser cela. Tous ceux qui ont laissé une trace dans l'histoire sont ceux qui ont osé des réformes de fond. Mendès France aura laissé dans les livres d'histoire une trace inversement proportionnelle au nombre de jours où il fut président du Conseil... un sillon que bien des Premiers ministres lui envient. PMF était un grand homme car il était modeste. « Trois priorités, et un calendrier », disait-il pour résumer sa méthode de gouvernement. Il avait l'intuition d'une pratique politique plus humble. Vous remarquerez au passage que ceux qui veulent faire autrement de la politique sont très souvent assez vite marginalisés. C'est assez curieux.

— Vous êtes hostile à l'idée de l'homme providentiel. Néanmoins, l'élection par les citoyens ne confère-t-elle pas une onction à l'homme politique par rapport aux autres citoyens ?

— Elle lui donne heureusement une certaine légitimité qui va l'aider dans l'exercice de son mandat. Mais en réalité est-ce le citoyen ou l'appareil qui a réellement choisi ? Je ne remets pas en cause le système des partis mais le manque de débat interne aux partis pour dégager les meilleurs d'entre nous. L'inconnu ne peut plus se présenter devant les électeurs sans passer par les appareils. C'est dommage.

— *Les règles de la politique évoluent. Or, depuis 1958, la Constitution a été peu modifiée...*

— Il est vrai. Décidée en 1962, la réforme la plus importante a porté sur l'élection du président de la République au suffrage universel direct.

— *Représente-t-elle pour vous une réforme constitutionnelle essentielle ?*

— Qui oserait dire le contraire ? Toutefois, la question de savoir si la réforme de 1962 a rapproché les Français de leurs élus reste posée. N'a-t-elle pas non plus entraîné, outre un élan de démocratie directe, une sorte de cassure, de scission directement liée à la réaffirmation du clivage droite-gauche ? Le suffrage universel à deux tours de l'élection présidentielle a renforcé les clivages. Les Français se sont retrouvés politiquement partagés en deux camps. Tous ceux qui se sont réclamés du centre ou du « ni droite ni gauche » (je pense aux écologistes) ont été immédiatement refoulés du système ou satellisés. Face au renforcement de deux grands blocs politiques, les électeurs n'ont que trop rarement la possibilité de voter pour des candidats centristes. Les porteurs de projets politiques détachés du clivage gauche-droite sont rarement en position éligible. Mais quand des responsables de droite ont su dépasser un discours très à droite, ils ont été élus lors du scrutin présidentiel.

— *L'élection du président au suffrage universel n'a-t-elle pas conduit les candidats à cibler leurs programmes sur cette bipolarisation droite-gauche ?*

— Pas tous. Dès 1974 Valéry Giscard d'Estaing a remporté l'élection présidentielle en se positionnant clairement au centre de l'échiquier politique. Et récemment, en 1995, Jacques Chirac a été élu à partir d'un programme inhabituel pour la droite et que l'on pourrait qualifier de centre-gauche. Ces accents de sincérité et de générosité, les hommes de droite n'osent pas les manifester. Ou alors... je n'ose penser qu'ils ne les éprouvent pas. Jacques Chirac a gagné parce que son discours transcendait le clivage droite-gauche.

— *À l'instar de la réforme de 1962 sur l'élection du président de la République, que faudrait-il corriger pour que les institutions qui existent aujourd'hui laissent émerger cette nouvelle voie ?*

— Il n'est pas question de revenir sur l'élection du président de la République au suffrage universel. Les grandes démocraties républicaines démontrent chaque jour que ce lien direct confère une légitimité au chef de l'exécutif. Cela étant, je crois en l'urgence de moderniser la Ve République. Calquée sur la personne du général de Gaulle, cette dernière a été élaborée pour répondre à la période de crise que traversait la France en 1958, dans un contexte de guerre civile en Algérie. Elle a ainsi généré un pouvoir exécutif fort qui a considérablement affadi le travail parlementaire. Heureusement, les réformes des années 1994-1995 ont redonné au Parlement le droit de proposer des textes législatifs. C'est ce que l'on appelle le « créneau des niches parlementaires ». Grâce à cette réforme qui réhabilite l'initiative parlementaire, des textes importants ont pu être votés concernant l'épargne retraite, la protection de l'enfance et l'aménagement-réduction du temps de travail. Et ce, précisons-le, à l'initiative de l'UDF.

— *L'aménagement du temps de travail, la fameuse loi Robien, que vous appelez pudiquement « loi du 11 juin », c'était une initiative parlementaire ?*

— La loi que j'ai fait présenter *(sur l'aménagement du*

temps de travail) a confirmé que les parlementaires pouvaient et donc devaient soumettre de vraies propositions et assurer leur rôle dans le débat démocratique.

En France, le pouvoir du Parlement est inversement proportionnel au nombre de parlementaires, qui est, ne l'oublions pas, l'un des plus élevés d'Europe ramené au nombre d'habitants. Ce constat prouve de façon alarmante le déséquilibre persistant entre les pouvoirs exécutif et législatif. La stabilité constitutionnelle n'est pas liée à ce déséquilibre. L'exercice d'une bonne démocratie passe à mon sens par un retour à l'équilibre des pouvoirs, par une réduction et une simplification des institutions politiques.

3. DES INSTITUTIONS
SIMPLIFIÉES POUR SERVIR

— *Préconisez-vous alors le passage à une autre république ?*

— Qui nous empêche d'y penser ? La fidélité à De Gaulle ? Il faut engager le passage à une VIᵉ République dès lors que l'on est convaincu que l'exécutif doit retrouver une unité et le Parlement sa vocation. Le cumul des fonctions de Premier ministre et de président de la République par un même individu n'a rien d'inquiétant si l'on tient compte des importants transferts de souveraineté à l'Union européenne. Un seul capitaine à la barre, en première ligne, avec une majorité, cela devrait suffire. À mon sens, le droit de dissolution de l'Assemblée et de renversement de l'exécutif par l'Assemblée devrait être supprimé. Passer à une VIᵉ République, c'est avant tout un changement dans le style de l'exercice du pouvoir. Et une marque de confiance dans la démocratie.

— *Et la durée du mandat de ce nouveau président ? Que pensez-vous du quinquennat ?*

— La superposition de la durée des mandats législatif et présidentiel risque de transformer le Parlement en simple chambre d'enregistrement. Peu importe la durée à la condition qu'il y ait non-superposition.

— Mais alors, comment un président de droite pourrait travailler avec une Assemblée de gauche ?

— Pour éviter une crise du type du 16 mai 1877 où le président Mac-Mahon voulait gouverner coûte que coûte malgré une majorité contraire, il y a la possibilité de retourner devant les électeurs. Mac-Mahon n'était pas élu par le peuple mais par le Parlement ! Le modèle que je préconise est proche du modèle américain. Lorsque la Chambre des représentants est républicaine, le président démocrate doit être habile. Et savoir entendre la voix du peuple qui s'est aussi manifestée en envoyant des représentants différents de lui. La recherche de majorité d'idées est passionnante.

— Mais comment passer à la VIᵉ République ?

— Dans l'histoire politique française, le passage d'une Constitution à l'autre (nous en avons eu douze depuis la Révolution) a toujours été provoqué par des situations de crise. Or, je crois que la démocratie française actuelle est prête à passer sans crise à la VIᵉ République. La construction européenne nous offre l'opportunité d'assurer en douceur la transition vers une nouvelle république.

— De quelle manière ?

— Peu à peu, la politique étrangère et la défense vont « glisser » vers l'Europe qui à terme se dotera de sa propre Constitution. Cette évolution inéluctable va dans la continuité de l'immense dessein des peuples européens. Nous devons ouvrir dès aujourd'hui le débat sur le rôle et la place de chaque État au sein de l'Union européenne et ajuster notre Constitution en fonction des compétences transférées. Savoir déléguer et transférer demeure un véritable acte de pouvoir, qui n'occasionnera en aucune façon un affaiblissement de la France. Je reste profondément convaincu que les réformes des institutions françaises et européennes gagneront à être menées simultanément. C'est le seul moyen de faire prendre conscience aux Français que leur destin passe et passera par l'Europe. Ce sentiment de vivre un destin en commun facilitera ainsi la rédaction et l'acceptation d'une Constitution européenne.

— *La rédaction d'une Constitution n'est-elle pas un peu précipitée dans la mesure où de nombreux États frappent à la porte de l'Europe ?*

— L'Europe, 370 millions d'habitants, troisième puissance démographique au monde après la Chine et l'Inde, s'ouvrira nécessairement à d'autres pays : la Pologne, la République tchèque... mais cette ouverture devra se montrer raisonnable et raisonnée, au risque de voir mourir l'esprit européen. La Constitution n'est pas une prison, elle s'adapte, elle se modifie. Là encore, j'ai l'impression que l'on rêve d'un texte magique, éternel, irréversible. Une Constitution est une charte, un cahier des charges, rien de plus. Un cahier des charges d'ailleurs incontournable dans la perspective de cet élargissement afin que les droits et devoirs de chacun soient posés clairement.

— *Cette nouvelle donne européenne ne nécessiterait-elle pas également de réfléchir sur la place à donner aux collectivités locales de chaque pays ?*

— C'est une évidence. Un certain nombre de compétences étatiques, comme la sécurité et l'Éducation, pourraient d'ores et déjà être attribuées aux collectivités locales. Ces mesures auraient pour conséquence directe de responsabiliser les acteurs locaux, de leur conférer davantage de moyens pour soutenir et garantir l'application efficace de la loi. Il est clair aujourd'hui que l'État ne peut plus tout gérer s'il veut assurer efficacement ses missions essentielles. Cette évolution ira de pair avec la construction d'une Europe fédérale, facteur de modernité et de cohésion sociale.

— *Autrement dit, on trouve trois échelons : les collectivités territoriales, l'État et l'Europe.*

51

— J'ose même affirmer que l'Europe fédérale, bâtie autour des collectivités fortes et des États-nations, constitue l'unique voie d'avenir de notre continent.

— *Quel serait pour vous le pouvoir de l'État-nation ?*

— Il faut entendre un pouvoir réduit dans l'action quotidienne mais une fonction symbolique forte. Je pense par exemple à la solidarité.

— *Les nouvelles compétences attribuées aux collectivités territoriales ne sont-elles pas de nature à requérir une réorganisation complète de notre administration ?*

— Bien sûr. Cette recomposition maintiendrait la région, qui conserverait des compétences en matière d'infrastructures (les lycées, les collèges, l'aménagement du territoire) et de formation professionnelle. Les conseillers généraux siégeraient directement à la région. Cette recomposition du maillage territorial confirmera en outre l'émergence grandissante de l'intercommunalité. La loi Chevènement deviendra vite obsolète parce qu'insuffisamment ambitieuse. Les communautés d'agglomérations demanderont davantage de moyens économiques. Leur autorité pourrait être élargie à la sécurité du citoyen.

— *Faut-il dès lors conserver les communes ?*

— Je le crois. La commune reste le fondement de la démocratie et de l'espace citoyen. C'est un point de repère extrêmement fort. Déchargée d'un certain nombre de compétences au profit de l'intercommunalité, la commune aura en charge la mise en œuvre des politiques sociales et de solidarité, d'autant plus efficace qu'appliquée à l'échelle d'une cage d'escalier ou d'un quartier. En étroite collaboration avec l'intercommunalité, le maire continuerait de surcroît à gérer le quotidien. L'entité communale demeure en ce sens incontournable, par son histoire, le patrimoine et la mémoire qu'elle incarne. Elle cristallise la notion de clocher, de paroisse, d'appartenance à un même ensemble humain et urbain. Comme dans de nombreuses villes, Amiens, capitale régionale, se compose de vingt-cinq quartiers, dont quinze environ sont dénommés par leur église : Saint-Martin, Saint-Roch, Saint-Pierre, Saint-Jacques... La réorganisation des collectivités territoriales offrirait une meilleure lisibilité du paysage politique local aux citoyens. La commune serait le socle de la démocratie locale.

— Cette réforme profonde des institutions françaises et le passage à la VIe République que vous préconisez ne risquent-ils pas d'effrayer l'opinion publique ?

— Si on le propose brutalement, les Français se détourneront du projet. En revanche, si on leur pose la question : « Comment entendez-vous participer plus activement à la vie de votre pays et au destin européen ? », les Français répondront présents, car ils sont gourmands de démocratie participative.

— Il y a un volet que vous n'avez pas évoqué : le Sénat. Bousculé sous le général de Gaulle, par Lionel Jospin aujourd'hui, on l'accuse d'archaïsme, voire d'antidémocratisme. Doit-il subsister dans votre construction d'une VIe République ?

— Les deux Chambres, allégées, doivent subsister.

— Les deux ?

— C'est un bon moyen de préserver une démocratie vivante. Cela étant, les sénateurs ne sont peut-être plus suffisamment en phase avec la société urbaine française. Ils représentent essentiellement un monde rural en voie de désertification. La population française est majoritairement citadine. Il faut en tirer les conséquences, mais nous avons malgré tout besoin d'un Sénat pour tempérer les ardeurs de l'Assemblée nationale. Il s'agit de savoir si la France peut être « démocratiquement » compétitive sous l'autorité d'une

Assemblée, d'un Sénat *et* d'un Conseil économique et social. La multiplicité des Chambres nuit à la transparence des responsabilités et des attributions de chacun.

— *Et la question du cumul des mandats. Faut-il aller plus loin comme le propose aujourd'hui Lionel Jospin, avancer la formule « un homme, une femme, un mandat » ?*

— Il s'agit là d'une réponse simpliste et démagogique. Tous les débats récents, souvent passionnés, autour du cumul des mandats ont ignoré le véritable problème, à savoir la superposition de différentes strates de décision. En fusionnant un certain nombre de strates, on supprimera par là même les cumuls abusifs. Dans la Constitution de la VIe République que j'imagine, si département et région ne font plus qu'un, on écarte ainsi un groupe électif et une fonction politique, une administration aussi... ! Cette décision renforcerait — ce que je soutiens ardemment — le pouvoir et le rôle du conseiller communal, qui deviendrait dès lors un agent de la démocratie locale disposant d'une autorité élargie et donc plus efficace.

— *Faut-il préserver le cumul d'un mandat national et d'un mandat local ?*

— Plus que jamais. Le lien local demeure indispensable à la compréhension des mutations sociologiques, des espoirs comme des inquiétudes des Français. Le danger permanent est de voir des fonctionnaires, des théoriciens, des légistes, totalement déconnectés de la réalité et voter des lois inapplicables ou inadéquates. Rien ne remplace le travail de terrain, l'écoute et le souci de la proximité pour prendre les bonnes décisions.

— *Le parlementaire revient pourtant tous les week-ends dans sa circonscription.*

— Bien sûr. Le double mandat local et national permet non seulement de mieux expliquer aux Français le côté vertueux de l'absentéisme à l'Assemblée nationale, mais aussi de régler le problème que rencontre régulièrement un député sans mandat local, qui se croit obligé de faire de la surreprésentation sur le terrain. Cette présence n'a finalement que peu d'incidence sur la vie des gens, à l'inverse d'un maire ou d'un adjoint qui, lui, peut directement intervenir et trouver des solutions.

— *Vous préconisez donc le mandat de député-maire ?*

— À Amiens, j'ai été élu maire parce que j'avais déjà un mandat de député. J'ai essayé de convaincre les habitants de l'importance pour notre ville de cette représentation nationale.

— *Les Français n'ont pas toujours conscience de l'investissement qu'exige une carrière politique. Ils considèrent parfois que les élus gagnent facilement de l'argent, sans parler des affaires de corruption ou d'abus de biens sociaux.*

— Je récuse le terme de carrière. Quant aux indemnités versées aux élus, elles sont plafonnées. Bien souvent les gens pensent qu'on les additionne par le nombre de fonctions cumulées. C'est inexact. On les additionne jusqu'à hauteur d'une fois et demie le montant de l'indemnité parlementaire. Quand un homme politique occupe exclusivement la fonction de maire d'une ville de 10 000 à 50 000 habitants, qu'il y passe la majeure partie de son temps et qu'il a quitté, le cas échéant, son commerce, sa profession libérale ou son poste de cadre supérieur, je vous garantis que la situation est financièrement pénalisante. Le maire d'une capitale régionale gagne moins qu'un bon artisan. Des vocations sont ainsi découragées, en particulier dans les petites et moyennes agglomérations. De plus en plus, les maires ressemblent à de grands chefs d'entreprise. Les mairies, comme celle d'Amiens et ses 3 000 salariés, représentent bien souvent l'un des tout premiers employeurs du canton, du département et de la région. La responsabilité de premier magistrat communal, même si elle implique don de soi et sens de l'engagement, implique aussi beaucoup de sacrifices, notamment familiaux. Il conviendrait, je crois, d'étudier un autre système d'indemnisation des élus, un système plus juste, qui prendrait davantage en compte l'engagement total et irréprochable que requiert un mandat politique. Il faut savoir aussi que les anciens maires ne touchent quasiment pas de retraite. C'est totalement anormal, d'autant que l'ampleur de la tâche ne vous permet pas ou peu de travailler dans le secteur privé, et donc de cotiser pour votre retraite.

— *Autrement dit, vous êtes favorable à l'instauration d'un statut salarial et fiscal rehaussé pour les élus.*

— Un statut non privilégié, raisonnable et non pénalisant, qui ne gâterait pas toutefois la beauté de l'engagement politique, à savoir la générosité.

— *Abordons le problème du financement des partis politiques. Comme toutes les formations françaises, le Parti républicain, membre de l'UDF, a été victime de la généralisation du financement occulte ou détourné. S'agissait-il finalement, parce que tout le monde le pratiquait, d'un outrage caractérisé aux règles de la vie politique ?*

— Je n'ai jamais participé à la gestion financière du PR. J'ai en revanche participé au financement des campagnes électorales. Et pour répondre franchement à votre question, avant les textes de financement, tous les candidats éprouvaient le sentiment de jouer avec l'illégalité, une illégalité couverte par la jurisprudence. L'illicite était admis parce que tous les partis politiques le commettaient par nécessité.

— *Les dispositions prises récemment suffisent-elles selon vous à éviter ces tentations ?*

— Tout d'abord, il ne s'agit pas de tentations pour s'enrichir, mais pour faire campagne. Pour répondre à votre question, en partie oui, même si ces dispositions ont parfois leurs revers. La limitation des dépenses de campagne électorale par exemple, justifiée à certains égards, ne permet pas toujours de communiquer son programme. Un inconnu sur la scène politique n'a quasiment plus aucune chance d'être élu, à moins de disposer d'une fortune personnelle importante et de l'engager afin de couvrir les frais d'affiches, de tracts, etc... Je n'aurais certainement pas été élu en 1986 si des amis, mes proches, mon parti, n'avaient pas cru en moi et en mon projet, ne m'avaient pas accompagné dans cette démarche politique des années durant.

— *Cela étant, il faut reconnaître que l'État, c'est-à-dire les contribuables, a fait de gros efforts, en prenant en charge une partie importante des frais des campagnes. Cette prise en charge, proportionnelle au résultat électoral du candidat, a finalement introduit un système de financement quasi exclusif par fonds publics.*

— Il me semble intéressant d'admettre une possibilité de financement par des fonds à caractère privé. Je pense que ce cofinancement assurerait une plus grande clarté et contribuerait à gommer l'image souvent frauduleuse que donne de lui-même, et souvent à tort, le monde politique. Ce mode opératoire serait bénéfique à la démocratie, car le système actuel privilégie les sortants.

— *Vous avez affirmé à plusieurs reprises, en public comme en privé, que l'homme politique a beaucoup moins de pouvoir qu'il ne l'imagine avant son élection. Le pouvoir appartient-il en France au seul exécutif (président de la République et Premier ministre) ?*

— Un ministre a peu de pouvoir. Beaucoup moins que celui qu'on lui prête en tout cas ! Au début de son action ministérielle, il a quelques semaines pour engager des réformes, et ensuite il doit souvent se contenter de communiquer. L'inertie des grandes administrations est bien trop forte, y compris pour les ministres d'expérience issus des grands corps de l'État. Un haut fonctionnaire passe son temps à vous démontrer toutes les raisons qui bloquent votre projet, pourquoi ça ne peut pas marcher, et non ce qu'on pourrait essayer pour que cela marche ! Concrètement, un maire a beaucoup plus de pouvoir. On lui en prête même quelques-uns qu'il n'a pas. Par exemple, lorsqu'il y a de la délinquance, des difficultés dans une école, on ne se tourne pas vers le ministre de l'Intérieur ou vers le ministre de l'Éducation nationale mais vers le maire. Le maire n'a pas la compétence mais c'est le pompier de service. C'est vous dire le désenchantement des citoyens envers l'État ! La décentralisation devrait traduire dans les textes ce qui est déjà vécu dans les faits, notamment dans le domaine de la sécurité de proximité. Cela veut dire que les compétences des maires devraient recouvrir les domaines où on lui prête du pouvoir.

— *Croyez-vous que les institutions soient pour partie responsables de l'éloignement des citoyens de la politique ?*

— Un faible pourcentage de Français comprend le fonctionnement de nos institutions. Il en ressort que beaucoup ont l'impression qu'elles ne sont pas faites pour eux. Mais la soif de démocratie est inépuisable si on ouvre le débat. Par exemple, si la réforme de la Sécurité sociale a été mal engagée en 1995, c'est justement parce qu'elle a été présentée comme une réflexion du microcosme et non de la population. Un tour des régions a bien été effectué pour souligner la nécessité d'une réforme mais il s'est cantonné à l'écoute rapide des institutionnels. Alain Juppé, alors Premier ministre, a pris la parole au journal de 20 heures sans s'assurer que les décisions étaient conformes aux vœux exprimés par les Français et si leur connaissance du dossier était suffisante. Le lendemain, je lui ai dit : « Est-ce que tu ne crois pas que ce serait une bonne idée de tester tes propositions avant de les appliquer ? » Entre parenthèses, ce qui est très étonnant, c'est qu'après l'exposé d'Alain Juppé sur la réforme du système social, les parlementaires étaient debout pour l'ovationner et le lendemain, la presse quasi unanime sur le fond et la forme. Néanmoins cette réforme est apparue comme imposée plutôt que concertée.

4. POUR UNE EUROPE PLUS POLITIQUE

— *L'Europe, c'est quoi pour vous ?*

— Un drapeau azur avec douze étoiles d'or, c'est l'*Hymne à la joie*, c'est le 9 mai, le passeport commun pour près de 400 millions d'hommes...

— *Le 9 mai ?*

— Le premier jour de paix après la capitulation du 8 mai, c'est le jour de la Fête de l'Europe : le jour anniversaire du discours fondateur de la CECA (Communauté européenne du charbon et de l'acier), prononcé à Paris le 9 mai 1950 par le Français Robert Schuman alors ministre des Affaires étrangères, connu aussi sous le nom de « plan Schuman ».

— *Robert Schuman, un nom qui compte dans votre engagement européen ?*

— Robert Schuman fut un de nos plus grands hommes politiques. Ce Mosellan fut le premier parlementaire français arrêté par la Gestapo en septembre 1940. Après la Seconde Guerre mondiale, Robert Schuman reprit sa carrière politique au sein du MRP (Mouvement républicain populaire) qui rassemblait les chrétiens-démocrates. Robert Schuman avait compris que la réconciliation franco-allemande était essentielle pour la France et l'Europe. Robert Schuman était habité intérieurement par une foi profonde. Il a fait rimer le mot chrétien avec celui d'européen. Nous mesurons mal l'importance de ce qu'il fit pour la France. Et c'est injuste.

— *Pouvez-vous nous rappeler ce qui se passa le 9 mai 1950 d'aussi déterminant pour la France ?*

— En 1950, les relations internationales étaient dominées par la guerre froide née des dissensions entre les « deux grands ». L'Europe n'était pas un enjeu mais un butin à partager. Le bloc occidental regroupant les États-Unis, la France, la Grande-Bretagne était divisé sur le sort de l'Allemagne. Des conférences réunissaient les ministres des Affaires étrangères des trois pays : le 10 mai 1950 l'une de ces conférences devait se tenir à Londres. Son ordre du jour ? Discuter de l'avenir de l'Allemagne en tant que puissance souveraine. Les Anglo-Américains attendaient une initiative de la France. Le 9 mai dans l'après-midi une conférence de presse fut convoquée au Quai d'Orsay dans le salon de l'horloge « pour une communication de la plus grande importance ». Robert Schuman prononça alors sa déclaration (mise au point avec Jean Monnet). Les principaux points de cette longue déclaration préconisaient : la réconciliation entre la France et l'Allemagne ; la mise en œuvre d'une politique d'unification européenne en créant entre les Européens une solidarité de fait basée sur des réalisations concrètes avec une première étape, la mise en commun des deux productions de base qu'étaient alors le charbon et l'acier ; la création d'une Haute Autorité indépendante des gouvernements avec un pouvoir de décision supranational.

Le plan reçut d'emblée un accueil favorable en Italie, en Allemagne, dans le Benelux. Le Royaume-Uni se montra réservé sur l'énoncé du caractère supranational de la Haute Autorité mais le plan déboucha sur la création de la CECA par le traité de Paris du 18 avril 1951. Robert Schuman avait accompli un acte historique ; il devait disparaître douze ans plus tard. Certains passages du discours du 9 mai sont d'une troublante actualité, je cite : « L'Europe ne se fera pas d'un coup, ni dans une construction d'ensemble : elle se fera par des réalisations concrètes — créant d'abord une solidarité de fait. Le rassemblement des nations européennes exige que l'opposition séculaire de la France et de l'Allemagne soit éliminée (...) La mise en commun des productions de charbon et d'acier assurera immédiatement l'établissement de bases communes de développement économique, première étape de la fédération européenne (...) L'Europe pourra, avec des moyens accrus, poursuivre la réalisation de l'une de ses tâches essentielles : le développement du continent africain. » Je cite la dernière phrase car on a un peu oublié la vocation de l'Europe, aider les autres continents à sortir de la misère. Et si on avait suivi les conseils de Robert Schuman on aurait peut-être évité bien des problèmes intérieurs.

— *On a parfois du mal à parler de l'Europe comme d'un bienfait, tant elle nous semble lointaine, abstraite, technocratique...*

— Plus nous avancerons vers une Europe fédérale, vers une Europe politique, et moins l'Europe sera technocratique. Les textes sont compliqués parce qu'il y a trop souvent la volonté de les rendre obscurs. On donnait l'impression de construire l'Europe tout en préservant au fond les susceptibilités et les pouvoirs des États. Nous devons assumer le fait européen et pour cela nous devons construire l'Europe politique. La construire et lui donner de la chair, une voix et un visage.

— *Vous avez évoqué la rédaction d'une Constitution européenne, pouvez-vous en définir les contours ?*

— Les traités s'adressent aux États. Rome, Maastricht, Amsterdam, sont des actes majeurs mais des actes entre États. Avec une Constitution, on s'adresserait enfin, directement, aux citoyens européens. Ce serait un pas symbolique important pour la démocratie européenne. Cette loi fondamentale poserait définitivement le règlement de l'Europe : ce qui dépend de l'Europe et ce qui n'en dépend pas ; les droits et devoirs des citoyens ; le statut des institutions de l'Union ; le principe du vote à la majorité qualifiée sauf pour les décisions d'élargissement ou de modification des traités peut-être. Le fonctionnement des institutions européennes dépend de la question de l'unanimité. Il n'est pas possible de fonctionner à l'unanimité lorsqu'on est quinze ou vingt. La majorité devrait suffire mais il faudrait imaginer un droit de sortir de l'Union européenne en cas de désaccord fondamental sans pour autant bloquer la machine. Enfin il faudra tôt ou tard imaginer des euro-circonscriptions dans tous les États avec un système unique d'élection probablement proportionnelle. Les institutions actuelles ont aussi un grand défaut. La Commission européenne n'est pas responsable devant les États. Actuellement, les ministres qui s'occupent de l'Europe ne se consacrent pas à plein temps à l'Europe. Il faudrait que le Conseil européen puisse élire le président de la Commission européenne et qu'il soit capable de le « renverser ». Qu'il s'agisse du président du Conseil ou du président de la Commission, ce visage politique devra, à terme, être désigné au suffrage universel. Je préférerais aussi que les parlementaires soient désignés au niveau des régions, là aussi dans l'optique d'une Europe avec un visage.

— *On dit souvent que l'Europe n'a pas de vraie politique étrangère.*

— Le traité d'Amsterdam a fait un pas en avant en confiant plus de responsabilités au secrétaire général du Conseil européen. Mais, pour le moment, la crise du Kosovo montre que l'Europe n'a pas encore de politique étrangère. À mon sens, elle n'existera pas tant que la France et la Grande-Bretagne ne renonceront pas à leurs sièges de membres permanents du Conseil de sécurité de l'ONU pour le confier à l'UE.

— *Peut-il y avoir une politique étrangère commune tant qu'il n'y a pas de politique commune de défense ?*

— L'Europe a une forte tradition atlantiste héritée de la guerre froide. Actuellement, la seule expérience réussie est la brigade franco-allemande. Si l'on totalisait les budgets de défense de tous les États européens, on obtiendrait la moitié du budget militaire du Pentagone. Abordons d'urgence la question de l'industrie européenne de la défense, des outils de renseignements, de la normalisation des équipements, de la dissuasion concertée. Apprenons à maîtriser ensemble les technologies militaires de pointe afin de mieux gérer les crises sans devoir appeler Bill Clinton toujours très occupé ! Nous sommes devant un obstacle psychologique fort, car sommes-nous prêts à accepter que des soldats finlandais ou anglais viennent stationner chez nous ? Et pourtant, peut-on laisser 400 millions d'habitants sans un système de défense commun ?

— *Sur la question de l'élargissement, l'Europe des 15 doit-elle aujourd'hui accepter, peut-être, de freiner un peu son train de vie pour presser l'adhésion de pays plus pauvres qu'elle ? Ou au contraire faut-il dire : « On va geler le budget, il est trop tôt pour laisser de nouveaux pays adhérer » ? On trouve mille prétextes pour retarder cet élargissement...*

— Faut-il élargir l'Europe rapidement ou faut-il prendre le temps ? Nous devons tendre la main à une Europe de l'Est qui a implosé. Nous devons lui proposer une véritable alternative à l'Union soviétique qui a trop longtemps dominé ce morceau de continent. C'est un droit légitime et mérité. En même temps, on sent bien que si cette intégration va trop vite, il n'y aura plus cette conscience, cette cohérence d'un destin partagé, construit, pas à pas. Autre cas : celui de la Turquie avec les problèmes des droits de l'homme. Doit-on intégrer ou pas des pays où les droits de l'homme ne sont pas respectés ? Pour garder la culture que nous voulons à la construction européenne il faut mettre certaines exigences, notamment en matière de droits de l'homme, c'est pourquoi l'UDF a proposé la mise en place d'un observatoire des droits de l'homme. Voilà quelques cas spécifiques, mais je crois que l'Europe a vocation à s'agrandir à un rythme d'intégration raisonnable qui devra suivre en tout cas notre marche vers l'Europe politique.

— *L'Europe, ce n'est pas qu'une affaire de monnaie, mais que pensez-vous du financement de l'UE par les États ?*

— Tout le monde est prêt à recevoir des subventions de l'Europe mais tout le monde n'est pas prêt à mettre au pot commun. Aujourd'hui, l'Allemagne contribue à 26 % du budget communautaire, la France à 17 %. À noter que la France représente 15 % de la population de l'Union (autant que la Grande-Bretagne) mais elle contribue à 17 % du budget contre 13 % pour la Grande-Bretagne...

— *Les finances de l'Europe, c'est bien sûr l'euro, mais n'est-ce pas aussi la fiscalité ?*

— À terme, la TVA, l'impôt sur les sociétés, l'impôt sur les revenus, la fiscalité sur l'épargne ou sur l'essence s'harmoniseront. Cette volonté fiscale va bouleverser nos repères et nous faire réaliser des économies d'argent public. La France serait enfin amenée à baisser ses impôts et ses charges. Encore une fois, c'est l'Europe qui va faire bouger la France. On peut même imaginer un impôt européen à soustraire d'une fiscalité nationale pour donner à l'Europe une force budgétaire plus importante. À noter que sur les trente pays les plus riches du monde, quinze sont européens. Cette richesse, nous devons l'utiliser : pour l'environnement, pour la politique sociale, pour les politiques régionales.

— *Justement, on a l'impression que l'Europe apporte sur chacun de ces sujets plus de technocratie, moins de débat, moins de compréhension...*

— Commençons par l'environnement qui est un objectif primordial de l'Union européenne. En matière de protection de l'eau, de l'air, de lutte contre le bruit, de protection des déchets, nous avons beaucoup à apprendre des autres États. Dans les années qui viennent, la fiscalité européenne s'inspirera des éco-taxes et du principe pollueur-payeur. C'est une avancée considérable dont les générations à venir bénéficieront. La politique sociale est quant à elle plus difficile à réaliser. Il y a en Europe 18 millions de chômeurs mais des systèmes de protection sociale très différents du nord au sud. Dans les années qui viennent, il faudra réfléchir à la formation professionnelle, aux droits du travail pour les nouveaux métiers et au dialogue social dans l'entreprise. Enfin je terminerai par la PAC : la politique agricole est victime de ses trente-six ans de succès. La productivité de l'Europe est considérable. Elle se confronte à un marché mondial en stagnation. Jusqu'à présent, l'Europe rachetait l'offre excédentaire, ce qui fait qu'aujourd'hui 30 % du revenu de certains agriculteurs français vient de l'Europe ! La réforme de la PAC vise à diminuer ce soutien financier et à renforcer le contrôle sanitaire et les politiques de l'environnement. Elle doit surtout être mieux répartie.

— *L'Europe, c'est moins une administration...*

— ... qu'un cœur, qu'un projet, qu'un idéal. Nous devons être fiers du drapeau bleu étoilé qui nous rappelle que les « vingt-huit siècles de vie commune » (pour plagier le livre de Denis de Rougemont) ont forgé une civilisation. De la Grèce de Platon à la Rome d'Auguste et au christianisme de saint Benoît, ces années ont façonné les peuples celtes, germains et slaves... et des latins. Des peuples qui ont vécu des siècles de conflits siègent aujourd'hui ensemble dans la même assemblée. Une nouvelle Europe est en train de naître. De Dublin à Athènes et de Helsinki à Gibraltar, l'Europe prend un coup de jeune en transcendant ses différences.

— *La rivalité franco-allemande est-elle définitivement enterrée ?*

— Arrêtons un peu de fantasmer sur ce sujet. On est en train de construire quelque chose de nouveau ensemble. En 1974, seulement une minorité de Français déclarait avoir de la sympathie pour les Allemands. Ils sont une majorité aujourd'hui. La construction européenne a éteint le volcan au bord duquel nous avions appris à vivre. Preuve de son unité, l'Europe connaît désormais les mêmes mouvements : développement de la culture juvénile (années 60), féminisme et écologie (années 70), développement des régions et des *landers* (années 80). Basons-nous sur une communauté de destins plutôt que sur les accidents de l'histoire qui ont fait que nous nous sommes combattus. On est en train de construire quelque chose de vraiment tout à fait enthousiasmant. Les jeunes en sont bien conscients, beaucoup plus que les moins jeunes qui, eux, ont vécu bien des drames.

— *Que pensez-vous du rejet du traité d'Amsterdam par Charles Pasqua ?*

— Le traité d'Amsterdam a fait couler beaucoup d'encre, notamment au RPR. Les décisions prises à la majorité étaient au cœur des débats. Le traité d'Amsterdam doit être vécu comme une chance pour la France. Il vaut mieux être plusieurs à exercer un pouvoir que seul et impuissant. Certains ont contesté la prise de décision à la majorité prétextant que la France allait perdre son identité. En fait la règle de l'unanimité faisait la part belle aux petits États (comme la Finlande ou le Danemark) qui pouvaient bloquer l'Europe. La règle de la majorité est meilleure pour la France. La bataille du Parti communiste, du Front national et d'une partie du RPR est un combat nostalgique. Quand une ville délègue à une structure intercommunale — un district ou une communauté urbaine — un certain nombre de compétences, elle ne se démunit pas. Elle augmente ses possibilités, elle voit croître ses moyens et ses chances. Les meilleurs chefs d'entreprise sont ceux qui savent déléguer parce qu'ils trouvent dans la délégation à des collaborateurs une qualité de décision qu'ils n'ont pas à eux tout seuls. Est-ce qu'il vaut mieux participer à des décisions importantes à dix ou à vingt ou ne pas être dans le coup et voir la décision prise par d'autres ? La règle de la majorité apparaît comme celle qui peut donner le plus de puissance, le plus de pouvoirs à une Europe dans laquelle la France est appelée à jouer un rôle considérable. En clair, déléguer des compétences et participer aux décisions, c'est se renforcer, c'est renforcer celui qui délègue.

— *Vous imaginez qu'une politique de défense, en tout cas que des décisions de défense puissent être prises à la majorité ?*

— Aujourd'hui, la politique de défense n'est prise ni à la majorité, ni à l'unanimité, elle est prise aux États-Unis. Pour les affaires européennes, les conflits régionaux, c'est anormal.

— *Et l'arme nucléaire, la dissuasion...*

— Bien sûr, elle peut devenir européenne.

— *Européenne, donc elle doit être partagée.*

— Oui.

— *Si elle est partagée, comme le principe de la dissuasion, c'est une volonté politique ferme.*

— Oui, mais il y aura un président européen un jour. Élu au suffrage universel avec un mandat suffisamment long.

— *C'est ce que je voulais vous faire dire.*

— Je prends le raccourci. Il y aura un jour un président européen élu et un gouvernement européen, c'est évident. Et ça n'empêchera pas la société française d'avoir sa propre organisation.

— *Il y a une question qui se pose quand on évoque ce devenir*

69

européen, c'est celle de la langue. Quand on fait la comparaison avec les États-Unis, où tous parlent la même langue, les États d'une fédération européenne auraient la particularité d'avoir chacun leur langue. Quelle serait la langue commune ?

— C'est un problème, à mon avis, qui va se résoudre avec le temps. Les jeunes sont déjà bilingues pour la plupart. Et dans les vingt, trente ans, il y aura trois langues en Europe. Il y aura le français, l'anglais, et probablement l'espagnol. Les trois langues européennes à rayonnement mondial.

— *L'UDF se présente comme le parti de l'Europe, pourquoi ?*

— Parce que l'UDF est l'héritière du MRP sur cette grande question. Et que son attitude proeuropéenne n'a jamais été opportuniste. Nous avons un destin à assumer depuis qu'Hitler s'est suicidé dans son bunker et avec lui les démons du nationalisme. Pour beaucoup d'élus UDF, l'Europe est la première raison de leur engagement politique. Schuman, Pflimlin, Giscard, Barre, Lecanuet. L'UDF, c'est vraiment le parti des Européens, et pour cette raison nous avons voulu faire une liste UDF pour les élections européennes. « L'engagement plutôt que la tiédeur », a dit justement François Bayrou.

— *Vous n'étiez pas chaud du tout pour la liste unique tirée par Philippe Séguin ?*

— Je ne pouvais pas concevoir que le combat pour l'Europe soit mené par Philippe Séguin. C'est une question d'honnêteté politique. Il a été le symbole d'une union contre l'Europe. Je veux bien et je respecte le fait que l'on change d'avis, mais j'ai trop de considération pour Philippe Séguin pour penser qu'il aurait, depuis son élection à la présidence du RPR, épousé tout à coup les propositions de l'UDF en matière de fédéralisme ou de défense européenne. Sans compter que pour moi, fédéralisme européen et décentralisation nationale sont indissociables. Autorité en haut et liberté en bas. Il faudrait un gouvernement qui ait envie de pousser dans les deux directions. Par exemple, je ne vois pas pourquoi le district du grand Amiens serait obligé de passer par le préfet pour obtenir des fonds européens. Pour être sincère et loyal vis-à-vis de notre électorat, il faut à la fois renouveler nos candidats et présenter une personnalité très européenne pour tirer la liste, notre ligne étant très européenne. Je ne me serais jamais satisfait d'un conformisme qui eût envoyé Philippe Séguin comme tête de liste de l'opposition, même si l'union fait toujours plaisir. C'eût été inconvenant, insatisfaisant et peu honnête au regard de nos convictions. Philippe Séguin, anti-européen hier, européen aujourd'hui, c'est comme si, dans trois ans, Christine Boutin décidait de prendre la tête de la Gay Pride !

— *Quel est l'enjeu de ces élections européennes ?*

— L'enjeu est important et rien n'est encore gagné. L'Europe est face à des rendez-vous majeurs. Au cœur de ces élections, il y aura principalement la question de l'Europe politique et du fédéralisme. Avec mes amis de l'UDF, nous sommes résolument en faveur de l'Europe politique. Si l'Europe ne devient pas politique, elle restera l'otage des marchés financiers et nous ne pourrons pas mener de politique sociale. Notre but ultime n'est pas de faire de l'Europe une simple zone de libre-échange comme le souhaitent certains ultra-libéraux.

L'euro ne signifie pas l'achèvement de l'Europe. La monnaie est une condition importante pour que la zone Europe pèse réellement sur la scène internationale mais ce n'est pas l'aboutissement de l'Europe. L'euro n'est qu'un outil au service d'un projet de civilisation basé sur la paix, le respect de la personne humaine, la responsabilité et l'initiative, la solidarité. Certains réclament un contrepoids à la Banque centrale. Eh bien, ce contrepoids, c'est l'Europe politique qui pourra le devenir en agissant notamment en faveur d'une Europe sociale. Et l'Europe sociale évitera à la France d'être socialiste.

— *Vivre en Europe est une chance ?*

— L'Europe, ce n'est pas le lieu de rendez-vous de tous les mercenaires, de toutes les mafias, de tous les marchés noirs et de l'argent blanchi. C'est le continent du droit, des avocats, des journalistes, des libres penseurs et des penseurs libres. L'Europe, c'est là où l'on propose aux femmes des horaires adaptés à leur vie de famille, où les rythmes de l'enfant sont respectés, où les personnes âgées ou handicapées sont secourues, où l'on donne presque gratuitement des médicaments, où l'on lutte contre les pollutions. Ce qui finalement nous surprend, c'est de vivre dans un espace pacifié, un espace où l'on peut parler avec nos voisins autrement qu'avec des armes ou des ultimatums. Cette paix nous fait peur parce qu'elle nous semble surréaliste, imprudente, trop vraie pour être crue : mais alors c'est vraiment vrai, il n'y a plus de KGB ? il n'y a plus de barbelés ? il n'y a plus la peur d'être mobilisés comme nos pères, grands-pères, arrière-grands-pères ? Non, il n'y a plus lieu d'avoir peur car l'Europe politique se construit.

— *Quel message voudriez-vous faire passer pour les élections de juin ?*

— Si vous aimez la France, faites l'Europe ! Une France isolée n'a aucune chance d'exister dans un monde d'échanges. Sans l'Europe, la France risquerait de disparaître de la carte géopolitique mondiale. Sans l'Europe on risque de ne plus avoir d'existence perceptible, de pouvoirs réels. La souveraineté doit se partager sous peine de disparaître. Cette conviction, c'est celle de l'UDF depuis 1978. J'ai aussi envie d'ajouter à destination de ceux qui jugent notre pays trop long à évoluer que c'est l'Europe qui fait et qui fera bouger la France.

— *Vous êtes euro-enthousiaste ?*

— L'Europe, c'est mon territoire, ma culture. Cet art de

vivre, c'est le nôtre. Ce sont les chartes communales du Moyen Âge en France, le continent de Robin des Bois et de Guillaume Tell, les cités libres italiennes et les villes-États allemandes, c'est ce souffle de liberté qui fonctionne depuis des siècles par capillarité dans notre mémoire. La clé de l'Europe est dans le dépassement mais aussi le respect des différences. Par rapport aux grands espaces américains ou asiatiques, l'Europe est un ensemble de provinces, de petites vallées, de petites régions. C'est un trésor. La culture européenne est de source judéo-christiano-gréco-latine qui fait d'elle une civilisation spirituelle, rationnelle et humaniste. Cette division linguistique et culturelle exaspère parfois, elle est notre plus grande richesse. L'Europe vit des dialectiques religieuses, philosophiques, institutionnelles. Ce qui importe, ce sont les idées et leurs contraires. Le génie de l'Europe, ce n'est pas seulement la pluralité, il est dans le dialogue qui produit le changement. La fécondante diversité de l'Europe donne une ouverture d'esprit précieuse. Qu'il s'agisse des intellectuels, des élus ou des médias, nous sommes tous des éclaireurs (les *aufklarer*) de l'Europe. Comme l'écrivait si bien Edgar Morin : « Faisons de l'Europe une fondation, vivons une seconde Renaissance, apprenons à méditer, dégageons un art de vivre unique » ! N'oublions pas que la différence de l'autre, loin de nous léser, nous enrichit. Alors, enrichissons-nous ! Humainement ! Le reste nous sera donné de surcroît.

5. L'ÉTAT ET LA SOCIÉTÉ :
INNOVER OU SUBIR

— *Selon vous, le rôle de l'État se limite-t-il aux fonctions dites régaliennes ?*

— C'est ce qu'on dit en général, mais je crains que cela ne soit un peu plus compliqué. Prenons la sécurité. Pour moi l'avenir serait une police fédérale européenne compétente en matière de drogue, de lutte contre la pédophilie, les mafias, les sectes, une police municipale pour la sécurité de proximité, et une police nationale en charge de l'ordre public traditionnel. Vous voyez, il s'agirait de pouvoirs régaliens partagés. Deuxième exemple, la solidarité. Les ressources d'une ville ou d'un département ne sont pas suffisantes pour assurer la solidarité des habitants qui y vivent. C'est donc à l'échelon le plus vaste possible qu'il faut financer cette solidarité, et c'est à l'échelon le plus proche possible qu'il faut l'identifier et y répondre. Un État républicain doit préserver l'égalité de la solidarité sur le territoire. Malheureusement dans le passé, on a vu que l'État voulait aussi s'emparer des moyens de production et des institutions financières avec pour conséquence une confusion entre un État producteur de justice et un État producteur de biens.

— *N'est-il pas arrivé que l'État, non seulement, ait ce rôle de protecteur, je dirais de correcteur des inégalités éventuelles, mais aussi d'impulseur ? Prenons un exemple dans le passé :*

toute la politique énergétique française. Si l'État n'avait pas été l'acteur, est-ce que la France se serait dotée de cette énergie nucléaire qui a fait son indépendance énergétique ?

— Oui. Il faut se rappeler qu'en matière énergétique nous étions largement dépendants des pays producteurs de pétrole. Il était donc normal que l'État, au nom de l'indépendance, trouve des moyens de substitution. Il ne me choque pas que, dans un domaine aussi sensible que celui-ci, l'État puisse s'engager dans une politique nucléaire, pour assurer l'indépendance du pays. Je ne souhaite pas du tout opposer l'État et le marché. Ça n'est pas l'État contre le marché, mais c'est plutôt l'un avec l'autre et chacun à sa place. L'État propose un outil, l'énergie, le marché développe la richesse. Avec la loi Robien, on avait trouvé le juste milieu entre un État incitatif, offrant les conditions d'une négociation pour les partenaires sociaux. Ce n'est pas l'État qui négociait à leur place. Il ouvrait simplement des plages de discussion pour que les acteurs économiques (employeurs et employés) puissent discuter. L'État inaugurait des libertés nouvelles et n'imposait pas un mode de fonctionnement. Lorsqu'on passe de l'incitation à l'obligation, on passe au socialisme, alors que l'État et le marché peuvent l'un et l'autre se rendre mutuellement service.

— *Mais finalement qui doit l'emporter entre le marché et l'État. Prenons l'exemple d'institutions bancaires : si on suivait la stricte loi du marché, une banque comme le Crédit lyonnais, qui a été imprudente, et se trouve sanctionnée par le marché, devrait déposer son bilan ?*

— Si la loi du marché avait été suivie, le Crédit lyonnais n'aurait pas été nationalisé et l'État n'aurait pas nommé des fonctionnaires à la tête de cette banque. Des fonctionnaires qui ne sont pas actionnaires, et qui sauf exception, n'ont pas la même perception de l'entreprise, du développement, de l'économie. Le Crédit lyonnais est une vision qui aboutit à des abus ou à des prises de risques disproportionnées avec la taille de l'entreprise. Le Crédit lyonnais est le bon exemple de la nécessaire séparation entre l'économie et l'État. Celui-ci doit rester le garant de l'application des règles fiscales et financières en vigueur dans le pays. Et pas devenir banquier, assureur ou fabricant de téléviseurs.

— *Est-ce que l'État n'est pas impuissant devant une régulation du marché qui le dépasse de beaucoup ?*

— L'État doit faciliter l'économie de marché en s'assurant, d'une part, que l'action économique ne se fait pas au détriment de l'homme et, d'autre part, que les profits de l'économie de marché encouragent à la fois ceux qui ont pris des risques, les capitalistes, et ceux qui ont travaillé, les salariés.

— *Cette mondialisation, à la fois financière et économique, vous la vivez ou vous la considérez comme un danger. Est-ce que vous serez, comme certains, tenté de la diaboliser, ou est-ce que vous concevez que c'est un phénomène irréversible avec lequel il faut compter et auquel il faut s'adapter ?*

— Je la considère vraiment comme une chance. S'il n'y avait pas cette mondialisation, nous nous replierions sur l'Hexagone, nous aurions un marché captif, nous n'aurions pas ces produits créés à l'étranger dont nous avons besoin et nous n'aurions pas ces produits français vendus dans le monde entier. Nous n'aurions pas accueilli les investisseurs étrangers qui sont sur le sol français et qui offrent des millions d'emplois. Ainsi, dans une ville comme Amiens, les zones industrielles sont composées d'entreprises américaines comme Goodyear, Procter et Gamble, Whirlpool, japonaises comme Sumitomo, ou italiennes comme Pirelli. Le tiers des emplois d'une capitale régionale est produit par des entreprises étrangères. De même qu'il y a des entreprises françaises dont l'implantation à l'étranger garantit leur expansion et leur développement, ce qui est bon pour la France.

— Estimez-vous qu'il faut néanmoins trouver les moyens de fixer une règle du jeu qui n'existe pas aujourd'hui ou pas encore suffisamment ?

— Il faut certainement qu'à l'échelon mondial, on puisse établir des règles pour que la pure spéculation ne casse pas les règles du marché. L'organisation européenne est en train de répondre partiellement à cette demande. Il y a encore cinq ans, la lire ou la livre pouvaient jouer contre le franc et contre les entreprises françaises. Une dévaluation compétitive entraînait la fermeture de centaines d'entreprises françaises et le chômage de plusieurs dizaines de milliers de Français, par exemple dans l'industrie textile. Eh bien, déjà, dans une zone de 370 millions d'habitants, la création de l'euro empêche des spéculations liées à la dévaluation d'un des onze pays de la zone euro, demain des quinze pays, et puis après-demain, autour de 500, 600 ou 700 millions d'habitants qui auront la même monnaie. La spéculation intérieure en Europe sera jugulée, et l'euro devenant l'une des trois grandes monnaies mondiales avec le dollar et le yen, les spéculateurs qui jouaient, un jour le mark contre le franc, un autre jour le franc contre la lire, ne vont plus pouvoir pratiquer ce petit jeu-là dans une zone qui représente quinze pays parmi les trente pays les plus riches du monde. Leur liberté de spéculation est considérablement freinée. Et les Américains remis à leur juste place.

— Autrement dit, ce à quoi vous aspirez, c'est un ensemble européen qui restaure un équilibre par rapport aux États-Unis, notamment.

— J'aspire à un système qui évite les abus, renforce la solidarité sur un continent, et qui, en même temps, permet de freiner la tendance américaine à gérer le monde sur le plan politique et sur le plan économique.

— La politique en marche, ce sont toujours des arbitrages,

des compromis entre les initiatives privées et le volontarisme public. Dans une ville comme Amiens, vous êtes sans cesse, j'imagine, confronté à cela. Quelle part donner à l'initiative publique, quelle part laisser à l'initiative privée ?

— En économie, l'initiative publique locale est destinée à créer les meilleures conditions possible pour que le secteur privé se développe et s'épanouisse. Les mairies ou les regroupements de communes ont un rôle d'accueil, de soutien, de conseil auprès des entreprises, y compris un accueil psychologique pour les cadres qui arrivent avec leur famille. Nous leur proposons une aide pour leur logement, pour les écoles, pour leurs activités sportives ou culturelles. Et puis ensuite c'est aux entreprises de prendre le relais. Nous traitons ces questions à l'échelle de l'agglomération parce qu'il n'y a aucune raison que l'on se fasse concurrence entre des communes qui ont le même destin.

Dans le domaine du service public, nous sommes perpétuellement en recherche de la meilleure qualité au meilleur coût et nous plaçons donc en concurrence systématiquement le privé et le public. Par exemple, pour nettoyer la ville, chaque jour, nous avons le choix entre les services municipaux, et les entreprises privées. Nous faisons des appels d'offres et nous regardons si les services municipaux, pour les mêmes prestations, peuvent remplir le même service aussi bien que les entreprises privées. Dans la pratique, plusieurs quartiers ont été délégués au privé, d'autres ont été dévolus au service municipal. L'objectif est ainsi de rendre le meilleur service au public au meilleur prix.

— *Cette réflexion peut très bien se transposer au plan national.*

— Elle peut se transposer au plan national à condition que le cahier des charges soit le plus rigoureux possible et que l'on soit sûr que le service demandé et confié au privé correspond bien à l'exigence de qualité de service public. On peut pousser ce raisonnement très loin, sans le généraliser.

79

Il n'est pas concevable de confier la justice à une entreprise privée, bien entendu !

— *Vous confierez les prisons au privé ?*

—· Des prisons pourraient être confiées au privé si le cahier des charges est suffisamment précis et si la tutelle de l'État s'exerce pleinement. Aujourd'hui, la situation dans les prisons et l'organisation des prisons ne sont pas satisfaisantes, loin s'en faut.

— *Je ne vais pas faire l'inventaire de tous les services publics mais prenons encore quelques exemples : la SNCF pourrait être confiée au privé ?*

— Mais bien entendu, si le service rendu au public est meilleur.

— *C'est même souhaitable, selon vous ?*

— Il est souhaitable de mettre en concurrence la SNCF avec des entreprises qui seraient prêtes à rendre le même service pour le même prix, voire même pour un prix inférieur. Le résultat de l'appel d'offres dira quelle est l'entreprise, SNCF ou entreprise privée, qui rendra ce service aux meilleures conditions. Le service public n'est pas mis en cause. Au contraire, à travers cette mise en concurrence, on peut trouver des gains qualitatifs ou financiers qui permettront de rendre un meilleur service public. C'est la meilleure façon de respecter l'usager.

— *Vous feriez cela aussi, comme le préconise par exemple Alain Madelin, pour les caisses de Sécurité sociale ?*

— Pour la gestion des caisses de la Sécurité sociale, il n'y a aucun inconvénient à rechercher des moyens de gestion plus performants. Deux choses sont à distinguer : la gestion des caisses de la Sécurité sociale et l'organisme qui paye les prestations. Il y a plusieurs choix. Ou bien on confie au secteur privé l'assurance sociale, ce qui serait une option assez révolutionnaire en France, ou bien simplement la gestion. Confier l'assurance médicale au privé ? Je suis réservé mais pourquoi pas des expérimentations sur des périmètres limités. On pourrait prendre un département test et une profession qui serait assurée par le privé. Pendant la durée de l'expérimentation, la profession aurait la garantie de la Sécurité sociale actuelle en cas de défaillance du secteur privé. Et après ce test, j'exprimerais un avis plus définitif au vu du degré de satisfaction des assurés sociaux et du coût de ce type d'assurance.

Pour la gestion des caisses dans le régime actuel, je suis partisan d'une mise en concurrence. Il n'est pas dit du tout que la gestion actuelle soit défaillante. Mais la mise en concurrence avec un prestataire de services me paraît souhaitable parce qu'on obtiendra certainement une meilleure productivité. Cela aboutira peut-être à conserver le système actuel dans certaines caisses ou certains départements et, en revanche, à confier la gestion au secteur privé à d'autres endroits. Je rappelle que les accidents de travail étaient auparavant confiés au secteur privé, qu'ils ont été nationalisés dans les années 70 et qu'aujourd'hui, les cotisations sont beaucoup plus importantes et probablement la prévention moins efficace que s'il y avait concurrence des mutuelles. Et la Sécurité sociale, comme d'autres organismes, ferait des offres de service aux employeurs en leur disant : « Dans votre usine de production de pneumatiques, voilà mes exigences en matière de prévention. Si vous faites ces travaux de prévention, porte coupe-feu, barre de sécurité, je vous accorde pour assurer vos accidents de travail, tel ou tel taux. » Et l'un proposerait un taux de 1,50, l'autre proposerait 1,70, le dernier 0,90. Cela se passe ainsi dans l'assurance automobile qui est une assurance obligatoire mais qui permet à l'individu de s'assurer où il veut. Je pense qu'on aurait un meilleur rapport qualité/prix.

— *Autre champ sur lequel se rencontrent, se complètent ou*

se contredisent les initiatives privées et les initiatives publiques, c'est celui de l'emploi. Et par exemple, les initiatives que peut prendre un gouvernement pour, en face d'une situation de chômage, créer de manière volontariste de l'emploi. Ce sont les fameux emplois-jeunes, mais ça a été jadis divers contrats...

— Emplois de ville auparavant, CES, etc.

— *C'est ça. Mais alors, précisément, en quoi ces formules sont-elles de bonnes solutions ?*

— L'opposition est souvent hostile à ce type d'emplois aidés. En tant que maire, j'y suis très favorable parce que cela permet de rendre plus de services publics à un coût qui est largement pris en compte par l'État. Et un peu par la région et le département. Le coût résiduel pour la collectivité locale est de 10 % environ. En contrepartie, cela oblige l'employeur à apporter une formation sérieuse afin qu'au cours des cinq ans ces jeunes, dès lors qu'il s'agit d'« emplois-jeunes » aujourd'hui (des « emplois-ville » hier), disposent d'un bagage supplémentaire pour s'intégrer à la vie professionnelle. Soit dans la fonction publique territoriale, soit chez un autre employeur. Il existe évidemment des limites à ce système. Si l'on poussait le raisonnement jusqu'au bout, l'État pourrait dépenser des sommes très importantes dans les emplois-jeunes, et devrait trouver les ressources correspondantes. Les ressources, c'est l'impôt ; et trop d'impôt tue la ressource de l'impôt. Un tel système doit se financer, non par des dépenses supplémentaires, mais par des économies sur d'autres dépenses publiques. On sait que les aides à l'emploi représentent des sommes folles : 150 milliards de francs par an. On sait aussi, tous les rapports le disent, que certaines aides à l'emploi sont peu efficaces. Il faut donc concentrer l'effort budgétaire sur les aides avec le meilleur rapport coût/emploi et affecter le reliquat à la baisse des charges.

— *Autre contradiction à laquelle est confronté l'homme politique, c'est l'efficacité économique, d'une part, et l'injustice sociale, d'autre part. Là encore, il s'agit de trouver des compromis. Prenons l'exemple de Vilvorde : souci de l'efficacité économique mais en même temps justice sociale pour ceux qui travaillaient à Vilvorde.*

— Puis-je apporter un tout petit complément sur les emplois-jeunes et puis revenir à Vilvorde ?

— *Oui, bien sûr...*

— L'État se fait quelquefois plaisir en créant un nouveau type d'emploi (emplois-jeunes, emplois-ville) alors qu'il n'a pas su résoudre le problème de l'insertion et de l'activité. Un million de personnes sont bénéficiaires du RMI. La priorité ne me semblait pas forcément les emplois-jeunes. Quand le rectorat embauche 14 000 jeunes en cours d'études, il leur fait bien souvent interrompre leurs études. Pendant ce temps, un million de personnes auront besoin d'activités et se marginaliseront un peu plus.

Dans le cas de Renault Vilvorde, il n'est pas question, me semble-t-il, pour un État de s'opposer à une décision industrielle réfléchie. Mais l'État devrait s'assurer que toutes les solutions alternatives ont été envisagées. Aujourd'hui, Renault a certainement assaini sa situation et fait des économies. Très bien. Mais d'autres entreprises plus importantes que Renault ont trouvé d'autres solutions. J'aime bien citer Volkswagen. Je suis allé visiter Volkswagen en 1994. Volkswagen avait le même problème que Renault. La firme allemande devait licencier 28 000 personnes. Et plutôt que de licencier 28 000 personnes, les responsables patronaux et syndicaux se sont assis autour d'une table avec l'esprit de responsabilité qui les caractérise. Ils ont trouvé une solution qui, avec des sacrifices, s'est révélée utile pour l'emploi et a sauvé le site. Ils ont réduit leur temps de travail d'un tiers et ils ont accepté des baisses de salaire de l'ordre de 12 ou 13 %, ce qui est un sacrifice énorme quand on a des échéances, des loyers, des prêts en cours, etc. Mais les 28 000 lettres de licenciement ne sont jamais parties et Volkswagen s'est rétablie. Il y a moins d'un an, Volkswagen a même pu racheter Rolls Royce, le fleuron mondial de l'industrie automobile du pays le plus libéral d'Europe, la Grande-Bretagne. Un petit clin d'œil ou un sacré pied de nez aux ultra-libéraux et à tous les détracteurs systématiques de l'aménagement-réduction du temps de travail. Alors que la logique industrielle de Renault, fleuron social industriel de la France, a été la fermeture d'une usine jugée moins rentable et trop coûteuse, la logique de Volkswagen, c'est au contraire une solidarité dans l'entreprise qui doit très fortement resserrer les liens entre les salariés et la direction. Volkswagen aujourd'hui est une entreprise en pleine expansion. La logique de Volkswagen est une logique de responsabilisation des acteurs, employeurs ou employés. La logique de Renault sur Vilvorde est une logique de capitalisme pur, prisonnière, il est vrai, d'un déficit dans notre culture de négociation.

— *Mais il arrive qu'il n'y ait pas cette responsabilisation. Est-ce à l'État d'intervenir ? Je vais prendre un exemple : le ministre du Travail décide que les entreprises qui font trop appel au travail temporaire seront surtaxées, ou bien imaginons qu'il décide la restauration de l'autorisation administrative de licenciement...*

— Commençons par l'autorisation administrative de licenciement. Je rappelle que c'est le patronat, l'actuel MEDEF (Mouvement des entreprises de France), qui avait demandé la suppression de l'autorisation administrative de licenciement et affirmé que cette mesure pourrait créer 300 000 emplois. Non seulement on cherche encore ces 300 000 emplois mais de plus les entreprises se sont retrouvées devant le juge. Il y a peu, un arrêt de la Cour de cassation, l'arrêt Samaritaine, a obligé cette entreprise à réintégrer cinq ans après, avec tous les salaires à payer, les salariés dont elle s'était séparée. Beaucoup de spécialistes du droit du travail estiment que les entreprises n'ont pas gagné au change en remplaçant l'inspecteur du travail par le juge.

Quant au souhait du gouvernement de taxer toutes les formes de contrats dits précaires ainsi que les heures supplémentaires, il est clair que les effets sur l'emploi seront négatifs. On constate que les rigidités du droit du travail en France entraînent l'explosion de l'intérim. Les aléas de la conjoncture, les paperasseries administratives, les embarras juridiques et psychologiques d'un licenciement ultérieur sont autant d'explications à cet engouement pour le travail intérimaire qui permet au chef d'entreprise d'avoir l'esprit plus libre et de moins ressentir l'angoisse du marché perdu qui pourrait placer sa société en difficulté. En d'autres termes, ces contraintes que le gouvernement impose aux entreprises sont clairement des incitations à délocaliser. Trop de contraintes tuent l'emploi. J'aurai bientôt l'occasion de rendre un rapport sur les freins à l'emploi dans le cadre de l'association que j'ai créée pour réfléchir à l'innovation sociale. Parmi les freins à l'emploi, il n'y a pas seulement le coût des charges sociales ; il y a en priorité le manque de souplesse pour embaucher et les difficultés liées au licenciement « judiciaire ».

— *Autre interrogation sur ce thème de l'efficacité économique et de la justice sociale. L'efficacité économique commande, on le voit bien, une mobilité à la fois géographique et je dirais intellectuelle. Il faut se former tout au long de sa vie et admettre l'idée que l'on sera peut-être amené à changer de métier plusieurs fois. Or, on constate plutôt une aspiration sociale à la stabilité, ce qu'on appelait autrefois « travailler au pays ». Là encore, qui doit bousculer quoi ?*

— L'époque est à la polyvalence et à la mobilité. Et la génération qui arrive, c'est-à-dire les 20-30 ans, ne craint pas de traverser l'Atlantique ou la Manche pour effectuer ses premières années d'activité professionnelle loin du pays. Cette tranche d'âge ne craint pas la mobilité. L'Europe est son territoire. Je crois qu'il y a un changement considérable de mentalité. Sans cette mobilité et cette polyvalence, je crains le pire pour les « timides ».

— *Dans une tribune du* Figaro *l'été dernier, vous avez affirmé que le Vieux Continent éprouvait des difficultés à entrer dans le cybermonde des nouvelles technologies, pourquoi ?*

— Entre les visionnaires qui comparent le développement d'Internet à la découverte de l'imprimerie et les « techno-sceptiques » qui croient que l'informatique est un gadget destructeur d'emplois, il est temps de prendre la juste mesure des enjeux de l'économie électronique et d'affirmer notre optimisme. La révolution numérique n'en est certes qu'à ses débuts mais la dématérialisation des supports d'information va s'accélérer avec d'immenses conséquences sur le commerce international. Alors qu'à mon sens, il fallait anticiper ce mouvement, j'observais la France garder des modes de facturation des communications périmés qui désavantagent les villes de province, une faible mobilisation de l'épargne populaire, un nombre insuffisant d'immeubles « intelligents », un plaidoyer dépassé pour notre Minitel national. Heureusement, comme on a coutume de l'affirmer, l'année Internet ne dure que trois mois, et depuis cette tribune écrite en juillet 1998, j'ai pu constater des progrès réels comme par exemple le cryptage des informations pour le commerce électronique, le succès des fonds DSK pour les PME de nouvelles technologies. Il y a vraiment urgence à se positionner sans quoi les entreprises américaines se tailleront la part du lion dans ce secteur de l'économie électronique.

— *Que faire pour anticiper encore davantage ?*

— Encourager l'investissement privé, permettre aux micro-entreprises de se développer, créer le maximum de *start-up*, repenser la formation continue, créer un peu partout des espaces multimédias. Depuis 1993, les Français achètent plus d'ordinateurs que de voitures, 68 % pensent qu'Internet va créer des emplois et 65 % que cela va développer la liberté d'expression.

— *Et vous, qu'en pensez-vous ?*

— Une innovation technologique en chasse une autre et il serait vain de vouloir contrarier le courant de l'histoire. Internet, l'édition numérique, la téléphonie créent de nouveaux métiers. À Amiens, nous sommes maintenant la référence en matière de centres d'appels. Nous fournissons une main-d'œuvre formée, des plateaux techniques, câblés et climatisés. En janvier, nous avons créé 400 emplois avec l'installation de deux nouveaux centres d'appels téléphoniques. Notre objectif est de créer plus d'emplois dans les nouvelles technologies en deux ans que Toyota n'en annonce dans son usine de Valenciennes, chez mon ami Jean-Louis Borloo.

En ce qui concerne la liberté d'expression, je suis persuadé qu'Internet est un grand projet planétaire. Lorsqu'on navigue sur la toile, on peut trouver des sites violents, racistes, des sectes, mais on découvre surtout des gens formidables qui acheminent des médicaments, mobilisent l'opinion sur le sort de journalistes persécutés, échangent des conseils juridiques, cherchent des références bibliographiques. Sans compter des sites commerciaux qui apportent une vraie valeur ajoutée par rapport aux modes de distribution traditionnels et qui au bout du compte favorisent le client. L'éditorialiste et écrivain Guy Sorman pense que le commerce électronique va d'ailleurs forcer notre pays à baisser très vite son taux de TVA.

— *Communiquer avec l'homme qui vit de l'autre côté de la Terre ne nous fait-il pas oublier notre voisin de palier ?*

— Il faut utiliser Internet pour améliorer la démocratie locale. La communication avec le lointain n'est pas contradictoire avec le prochain. Permettre au citoyen de suivre avec le son et l'image les débats du conseil municipal de sa ville, poser des questions en temps réel, alerter le maire sur une situation, obtenir sa fiche d'état civil sans faire la queue, c'est une chance. À Amiens, depuis que nous avons commencé à retransmettre nos débats municipaux, nous avons fidélisé une centaine d'internautes. Nous questionne-raient-ils sans Internet ? Je ne le pense pas. Une mère de famille qui n'a pas envie de payer une baby-sitter le soir du conseil, une personne handicapée qui n'a pas la possibilité de sortir ou un jeune qui a une question précise à poser et qui n'a pas envie d'écouter pendant trois heures des délibé-rations ennuyeuses, c'est à eux que s'adresse le cyber-conseil municipal. Cela responsabilise les élus de savoir qu'ils sont écoutés et nous oblige à être plus concis. En plus d'Internet, nous devons apprendre à mailler les quartiers, à travailler en réseau, notamment dans les banlieues dont les jeunes — sans diplômes — sont des surfers de premier rang.

— *Au plan national, quel est votre sentiment sur les propo-sitions gouvernementales pour développer les NTIC (Nouvelles technologies de l'information et de la communication) ?*

— Au fil des déclarations, on s'aperçoit que c'est un bon sujet de débat. S'agit-il vraiment d'une politique ? Quel est le budget disponible pour mettre en œuvre cette révolution numérique ? Lorsque je vois le coût de fonctionnement de la Bibliothèque de France (1,5 milliard de francs par an) et le nombre limité de lecteurs dans la salle des manuscrits précieux, n'aurait-il pas été plus sage d'accélérer la numéri-sation des ouvrages et de les mettre à la disposition du mon-de ? Il sera toujours possible de transformer le bâtiment en musée du XXe siècle...

— *Est-ce que vous n'avez pas néanmoins le sentiment que, précisément, dans notre pays, voire dans les pays européens, il y a une cassure de plus en plus grande entre des générations ou des couches sociales qui vivent cette modernité et d'autres qui sont de plus en plus marginalisées, de plus en plus exclues. Comment résoudre ce problème ? Par des lois sur l'exclusion, par des protections ?*

— En fait, il me semble qu'on s'est trompé depuis des décennies sur la façon de traiter le chômage.

— *On a joué l'assistance ?*

— On a usé plus de calmants que de vitamines. Plutôt que faire de l'insertion par l'économie, on a indemnisé et assisté. Je crois néanmoins que la page est en train de se tourner. Même la gauche perçoit les nombreux effets pervers de cette logique d'assistance. Chaque allocation devrait être assortie, me semble-t-il, d'une contrepartie d'activités pour que les personnes au chômage depuis plus de six mois gardent au moins le sentiment réel d'utilité. Dans plusieurs pays, le système d'indemnisation vient en complément d'une activité. Si vous recherchez et acceptez un travail, 10 heures ou 20 heures par semaine, l'État ajoute le complément. L'impôt négatif est, dans ce domaine, une piste intéressante à creuser. On ne peut pas se contenter d'assister. L'excès d'assistance entraîne le risque d'abandon de toute vie active.

— *L'impôt négatif, c'est-à-dire ?*

— Traditionnellement, l'État vous prend de l'argent pour remplir ses caisses. Dans le cas de l'impôt négatif, il vous donnerait de l'argent sous forme de complément de salaire. Pas n'importe quand, bien entendu. Seulement si vous êtes au chômage et que vous acceptez un travail faiblement rémunéré. On récompense l'effort d'activité.

— *Dans cet esprit, êtes-vous partisan de chantiers publics ou de grands travaux au niveau européen ?*

— Pour relancer l'activité ou pour augmenter la croissance, je pense que l'Europe a besoin de grands travaux. Les autoroutes ou les TGV, mais aussi les autoroutes de l'information ou les équipements qui contribuent à améliorer l'environnement. C'était l'idée de Jacques Delors dans son Livre blanc.

— On parle beaucoup aujourd'hui de partenaires sociaux, hier on parlait de luttes des classes. La lutte des classes, c'est quelque chose qui existe mais dont on ne parle plus, ou quelque chose qui n'existe plus ?

— Dans des industries traditionnelles, il peut exister encore quelques traces de culture de lutte des classes mais cela devient de plus en plus marginal. L'industrie a changé. Les patrons capitalistes ont souvent laissé la place à des directeurs qui rendent des comptes à des actionnaires variés. L'automatisation a provoqué une qualification beaucoup plus grande du personnel des usines. Enfin, le secteur tertiaire et maintenant le secteur des hautes technologies occupent une place croissante. Nous sommes en présence d'une immense classe moyenne qui ne raisonne plus en termes de lutte des classes, en termes d'opposition systématique entre travailleurs et capitalistes, exploités et exploitants. Il est devenu possible de concilier les intérêts de tous à travers notamment des dispositifs comme la participation des salariés à la vie de l'entreprise. Notre économie doit se situer dans une dynamique de destins partagés. Je crois qu'à travers l'actualisation de l'idée gaullienne de participation, nous avons vraiment les moyens d'atténuer les oppositions d'intérêts.

— Oui, mais si on considère le cas des grands groupes, on voit des responsables, pressés par leur conseil d'administration, rechercher l'efficacité économique et annoncer plans sociaux sur plans sociaux. On le voit pour les fonds de pension : les salariés peuvent avoir avantage à une stratégie et, comme participants à des fonds de pension, avoir exactement l'intérêt contraire.

— C'est vrai, on cite l'exemple de salariés américains qui souhaitaient être licenciés parce qu'ils pensaient décrocher le jackpot comme actionnaires au moment où serait annoncée la restructuration de leur entreprise. Mais le vrai libéral ne se réjouira pas lorsqu'une entreprise licencie et qu'il voit le cours de la Bourse monter. La création de richesses vient des entreprises. Et il est exact que la bonne santé des entreprises, avec ou sans salariés, amène une richesse à la collectivité. Mais si on peut jumeler richesse et emploi, évidemment c'est l'idéal. Toute la difficulté pour un pays, c'est de gérer la transition douloureuse entre le moment où un secteur décline et où un autre plus moderne prend le relais en offrant de nouveaux emplois. En France nos systèmes de protection sociale ont l'avantage de nous protéger dans ces périodes de mutation mais ils ont aussi l'inconvénient de prolonger ces périodes et de freiner l'innovation. Aux États-Unis, par exemple, les cycles sont beaucoup plus rapides, et la liberté d'entreprendre permet à de nouveaux secteurs économiques d'émerger avec des années d'avance sur le Vieux Continent européen. Les mutations sont plus rapides et les restructurations moins douloureuses.

6. UNE POLITIQUE POUR L'EMPLOI

— *Vous avez dit un jour à un journaliste qu'en tant que parlementaire, la loi du 11 juin 1996, autrement dit la « loi Robien », était ce dont vous étiez le plus fier. Pouvez-vous me dire pourquoi et me dire aussi comment vous avez vécu la période de préparation à cette loi et celle qui suivit sa promulgation ?*

— Il s'agit moins de fierté que d'utilité. Vous savez, la vie d'un parlementaire est souvent plus empreinte de frustrations que de satisfactions. Notre Constitution a été voulue pour assurer avant tout la stabilité gouvernementale, ce qui a profondément modifié le rôle du Parlement, en instaurant ce qu'il est convenu d'appeler « le fait majoritaire ». La marge de manœuvre est extrêmement étroite pour un député, qui n'a d'autre fonction que de soutenir son gouvernement, en votant les textes qui lui sont présentés... et sans aucun espoir de voir un jour adoptée une des nombreuses propositions de loi qu'il aura déposées. Bien vite, l'enthousiasme des nouveaux arrivés laisse place, à force de renoncement et d'impuissance, à la résignation et à la frustration. C'est dans ce contexte qu'il faut apprécier la réforme constitutionnelle de juillet 1995, dont un des objectifs essentiels était d'élargir les pouvoirs du Parlement. En permettant aux groupes parlementaires d'inscrire à l'ordre du jour et donc de voter des propositions de loi, on a permis une petite révolution, sans doute mal appréciée à l'époque, notamment par le gouvernement.

Sans cette réforme, il n'y aurait jamais eu la loi du 11 juin sur l'aménagement-réduction du temps de travail. Sans la volonté farouche et déterminée de quelques parlementaires UDF d'aller jusqu'au bout, quels que soient les obstacles et malgré les pressions de ceux qui avaient l'habitude de voir les députés se coucher devant les injonctions gouvernementales, l'initiative née hors des cerveaux qui peuplent les cabinets ministériels aurait une nouvelle fois été étouffée.

Si l'on doit parler de fierté, il s'agit de la fierté de n'avoir pas plié et d'avoir triomphé de la technocratie qui pollue la politique et tue l'innovation. Fierté, enfin, pour le groupe que je présidais et qui a été le premier à déposer et à faire adopter une proposition de loi dans le cadre de la toute nouvelle réforme parlementaire. Au-delà de ce symbole, première brèche dans un édifice qui assure trop souvent la suprématie gouvernementale, j'ai bien d'autres raisons, pour mon groupe et pour tous les parlementaires qui ont voté cette loi, d'être ému de ce que, ensemble, nous avons fait.

J'ai mesuré réellement la portée de notre initiative lorsque, pour la première fois, je me suis rendu dans une entreprise qui venait de mettre en place le dispositif et qui, selon l'obligation contenue dans la loi, avait embauché. Le lot des parlementaires, et c'est l'ingratitude de cette fonction que je dénonçais tout à l'heure, est de voter des lois sans en mesurer ou en percevoir concrètement l'application, qui peut d'ailleurs, faute de décrets, ne jamais intervenir. C'est une vraie émotion, j'ose le dire, qui m'a envahi ce jour de novembre 1996, lorsque j'ai serré la main de ces deux ou trois jeunes femmes, au chômage quelques jours auparavant, et qui venaient de retrouver goût à la vie grâce à leur nouvel emploi.

Pendant plus de deux ans, j'ai visité les entreprises qui appliquaient cette loi et c'est, chaque fois, avec la même émotion non feinte que j'ai salué ceux à qui l'application de ce texte avait permis de trouver un emploi.

Tout ce travail, cet acharnement pour aboutir, ne pas renoncer malgré les difficultés, n'était pas vain. Et humainement visible.

— En quelque sorte, vous avez assuré le service après-vente de votre loi ?

— Exactement. Un premier tour de France, d'octobre 1993 à juin 1995, m'avait permis de tester dans le pays, auprès des salariés, des syndicats, des chômeurs et des chefs d'entreprise, la pertinence de l'idée, et surtout m'avait convaincu qu'il fallait poursuivre dans cette méthode d'explication et de pédagogie. C'est une démarche peu commune mais dont j'ai pu mesurer l'efficacité. Et le succès de la loi tient certainement beaucoup à cette extraordinaire campagne que nous avons menée sur le terrain, dans une centaine d'entreprises, à la rencontre de plus de 20 000 personnes dans toutes les régions de France.

— Concrètement, cela se passait comment ?

— L'idée était d'interpeller les participants, a priori sceptiques, par la présentation d'un dispositif d'aménagement et de réduction du temps de travail incitatif et d'obtenir leur adhésion à une proposition parlementaire. Qu'il fallait au moins lui donner sa chance !

Les témoignages, tant des chefs d'entreprise que des représentants des salariés, permettaient de faire comprendre au public, notamment aux entrepreneurs qui avaient une vision souvent caricaturale de l'aménagement-réduction du temps de travail, que l'on pouvait conjuguer la compétitivité, la rentabilité, la croissance de l'entreprise avec l'amélioration des conditions de travail des salariés. C'est un pari que nous avons gagné, dans un climat quelquefois hostile, puisque le MEDEF, je devrais plus précisément dire l'UIMM (l'Union des industries métallurgiques et minières), avait pris l'habitude d'envoyer systématiquement ses représentants à nos réunions. Et systématiquement, ils prenaient la parole pour poser, souvent de façon très agressive, toujours les mêmes questions, me reprochant à moi, homme de droite, d'être un faux libéral et de faire, par mon discours, le lit de la gauche.

Leurs arguments, toujours les mêmes, étaient assez simplistes. Ainsi ils ne trouvaient pas logique qu'un salarié puisse gagner autant, ou presque autant, en travaillant moins et ce, quels que soient les gains de productivité résultant de la nouvelle organisation. De même trouvaient-ils inadmissible que la baisse des charges puisse encourager la mise en place du dispositif. Ils dénonçaient les « subventions » accordées aux entreprises ! C'est un comble quand on sait que les mêmes réclament toujours plus d'allégements de charges, toujours plus de préretraites dont le coût est de 300 000 F par an pour un départ contre une moyenne de 50 000 F pour un emploi Robien, qu'ils ont obtenu la ristourne dégressive pour les bas salaires (40 milliards) et les allégements liés au temps partiel (30 % sans limitation de la durée)...

En fait, leur opposition était d'ordre sémantique, idéologique ; dans leur logique, il ne pouvait y avoir de place pour la RTT (réduction du temps de travail), concept subversif et dangereux qui s'inscrivait dans une stratégie de donnant-donnant, qu'ils refusaient. Ce sont les mêmes qui au temps du Front populaire dénonçaient « la république des casquettes et des fainéants » ! Ils refusaient et redoutaient la part essentielle qui était faite aux partenaires sociaux et à la négociation, puisque le Code du travail (et non la loi Robien) impose la nécessité d'une signature syndicale pour tout accord d'aménagement et de réduction du temps de travail. Combien de fois ai-je entendu : « Vous allez faire rentrer le loup dans la bergerie avec vos syndicats » ! Leur carcan idéologique les avait pétris de certitudes qui les empêchaient de s'ouvrir à toute approche pragmatique. Ils n'avaient pas compris qu'un des maux terribles qui rongent notre société réside dans ce climat de conflit qui fait du patron ou du syndicaliste l'ennemi, l'adversaire, et non le partenaire, que le conflit social de l'automne 1995 est impensable dans un autre pays européen aujourd'hui, que ce conflit nous a coûté 50 000 emplois et des milliards, parce que chez nous la culture de la négociation n'existe pas. Comment ne pas comprendre que l'association, le partenariat, qui permet d'aboutir à des accords équilibrés, à l'avantage de l'une et l'autre partie, va profiter d'abord à l'entreprise et augmenter ses performances ? Comment ne pas voir que ce qui est refusé, comme l'a été longtemps la flexibilité, parce que perçu comme un avantage pour l'une des parties seulement, peut être parfaitement négocié si des contreparties sont proposées ? Comment ne pas comprendre que lorsque l'absentéisme disparaît, que la productivité augmente, parce que le climat de l'entreprise est beaucoup plus serein, cela constitue pour cette entreprise un réel avantage dans la compétition économique et un outil performant de gestion des ressources humaines ?

— *Cette revitalisation du dialogue social dans la loi, ce n'était pas votre premier objectif ?*

— Effectivement, l'objectif initial était l'emploi, et de ce point de vue, on peut sans doute être relativement satisfait avec 42 000 emplois créés ou sauvés en quinze mois.

Le deuxième objectif qui est apparu très vite était d'accroître la souplesse, la flexibilité de l'entreprise, pour permettre des gains de productivité (nécessaires pour la compensation salariale), par une nouvelle organisation. Là encore, objectif atteint au-delà de toute espérance, puisque la réorganisation a accompagné le dispositif dans 80 % des accords, dont l'annualisation pour 55 %, l'augmentation de l'amplitude d'ouverture pour 18 %, et l'augmentation de la durée d'utilisation des équipements pour 16 %.

La troisième conséquence, la plus importante pour de nombreux spécialistes qui ont dressé un bilan de la loi, c'est la redynamisation du dialogue social.

En effet, la mise en œuvre du dispositif implique que tous les partenaires s'entendent sur les modalités d'application, et engagent ensemble une réflexion de fond sur l'organisation du travail. C'est une démarche partenariale pionnière, qui présente un progrès social important. On a vu naître un vaste mouvement de négociation à travers toute la France. Rien ne pouvait être fait sans la compréhension, l'adhésion

et la participation des acteurs, à travers des débats contradictoires, la recherche du compromis pour concilier la
compétitivité, la flexibilité, la création d'emplois et l'amélioration des conditions de travail et de vie. On n'imagine pas
la capacité de chacun à s'associer, à dialoguer, à écouter, à
se concerter... tant la France semble encore prisonnière d'un
dialogue social archaïque. Les partenaires ont trouvé là un
immense champ de négociations, de propositions et de progrès potentiel où chacun peut participer à l'invention d'une
dynamique collective, où tout le monde gagne, l'entreprise,
le salarié, mais aussi l'ensemble de la société. Plus peut-être
que l'emploi et la nouvelle dynamique de croissance, c'est
cet aspect positif en termes de nouveaux rapports sociaux
que beaucoup mettent en avant aujourd'hui, y compris les
plus libéraux.

— *Aujourd'hui que la loi Robien est morte, comment le
vivez-vous ?*

— Je suis simplement affecté par les conséquences
néfastes, pour l'emploi, pour les salariés et pour les entreprises, de la loi qui la remplace. Je n'ai jamais compté mon
temps ni mon énergie pour assurer le succès d'un projet que
j'estime bon sur le plan social et sur le plan économique.
Cet investissement total, « avant, pendant et après », si je
puis dire, m'a permis de mesurer sur le terrain, auprès des
représentants syndicaux, des salariés, des chefs d'entreprise,
dans les réunions publiques, la justesse de notre engagement.
Mais ce serait malhonnête de vous dire que, convaincu
de la pertinence de notre combat et après avoir constaté
l'adhésion suscitée et la dynamique enclenchée, j'ai accueilli
avec désinvolture ou indifférence la disparition de cette loi.
Je me suis battu jusqu'au bout, tant à l'Assemblée (où j'ai
défendu, deux heures durant, l'exception d'irrecevabilité de
la loi Aubry) que sur le terrain, pour que le gouvernement
renonce à son projet autoritaire et réducteur de liberté, dont
le seul fondement était le respect d'une promesse électorale.

Après la grande conférence d'octobre 1997, au cours de laquelle le plan du gouvernement fut dévoilé, j'ai organisé une « opération portes ouvertes » dans une quarantaine d'entreprises qui appliquaient la loi du 11 juin et qui s'élevaient contre la perspective de voir cette loi disparaître, pour être remplacée par un succédané moins performant et des contraintes qui constituent, selon elles, un véritable contresens économique et social. Dans les mois qui ont précédé ce vote, ce jour-là et depuis lors, mon discours est demeuré identique, parce qu'il est vrai que les combats ne sont perdus que le jour où on les abandonne. Tant que la seconde loi ne sera pas votée (on nous l'annonce pour fin 1999), je ne manquerai jamais une occasion de dénoncer ses dangers pour les salariés, pour les entreprises, pour tous les chômeurs chez qui on a voulu entretenir l'illusion.

— *Quel regard portent les autres pays d'Europe sur l'idée de l'aménagement du temps de travail ?*

— Nous sommes le seul pays d'Europe à avoir choisi la voie de la coercition. Je suis allé en Espagne, dans l'une des régions phares de cc pays, la Catalogne, où partenaires sociaux et PME-PMI souhaitent, ensemble, trouver un dispositif favorisant très largement l'aménagement-réduction du temps de travail. C'est dans ce contexte, un peu celui de la France en 1995, avant l'adoption de la loi, que je me suis entretenu avec le ministre du Travail de cette région autonome, M. Ignasi Farreres, ainsi qu'avec le secrétaire général de l'UJT, M. José Maria Alvarez. Leur souci, ainsi que celui des nombreux chefs d'entreprise catalans présents à la réunion publique du soir, est de pouvoir concilier, à travers l'aménagement-réduction du temps de travail, performance des entreprises et amélioration des conditions de travail et de vie des salariés. Et dans cette région modèle, on souhaite plutôt s'inspirer de la loi du 11 juin (l'Andalousie a déjà adopté un dispositif similaire) que de l'obligation de réduire le temps de travail à 35 heures en l'an 2000. Même chez les socialistes espagnols, et je cite là les propos de José Antonio

Guinan, du groupe parlementaire socialiste, il n'est pas question, en matière de RTT, de recourir à l'obligation.

Partout, sauf en France naturellement, où il faut tenir, vis-à-vis de ses alliés, les promesses de la campagne législative de 1997, on assiste au rejet de la loi, coercitive tout au moins, pour privilégier la négociation collective. La même démarche a déjà été initiée en Belgique où des contacts noués avec des parlementaires à l'occasion de réunions sur ce thème dans le nord de la France ont favorisé l'émergence d'une législation très proche de la loi du 11 juin, la loi Van Lanotte. En Italie aussi, le gouvernement composé d'anciens communistes a tenté d'imposer les 35 heures pour tout le monde, avant de se voir opposer une fin de non-recevoir de la part de l'ensemble des partenaires sociaux. Dans ce pays, patronat et syndicats ont eu l'intelligence de refuser, ensemble, ce qui leur était imposé. Pour proposer, ensemble, dans une démarche positive, constructive et dynamique une alternative, avec un objectif identique mais des voies incitatives et non contraignantes.

— *Aurait-on pu imaginer la même chose en France ?*

— J'en suis convaincu. Aujourd'hui encore, je regrette l'attitude du CNPF en 1997, les positions de l'UIMM, son acharnement à incarner le front du refus et son incapacité à proposer une solution alternative qui aurait permis d'éviter la loi idéologique des 35 heures. Sans cet acharnement et avec un projet alternatif (qui avait l'aval de syndicats réformistes et responsables) privilégiant la négociation collective et le rôle des partenaires sociaux, nous avions de grandes chances d'offrir au gouvernement une porte de sortie.

— *Vous croyez vraiment que le gouvernement attendait une porte de sortie ?*

— Le gouvernement, dans cette affaire, était sous la haute surveillance de ses alliés écologistes et communistes (partisans des 32 ou 35 heures, sans réduction de salaire), prisonnier d'une promesse de campagne, d'un slogan destiné à se faire élire à une époque où bien peu l'envisageaient. L'inquiétude de la grande majorité des chefs d'entreprise, le retrait syndical (sauf la CGT, la CFDT elle-même, à mots couverts, privilégiant les accords liés à l'incitation susceptible de créer des emplois par l'intermédiaire d'une négociation dont ils avaient signé 74 % des conventions), les risques de tensions que l'on sentait déjà naître au sein des branches et dans les entreprises, constituaient autant d'éléments qui concouraient à la recherche d'une autre issue. Toute alternative proposée par l'opposition étant par nature vouée à l'échec, seule une solution à l'italienne aurait pu permettre au gouvernement de sortir la tête haute sans compromettre ses alliances. La CFDT, la CFTC et la CGC auraient pu se ranger derrière un tel projet qui aurait enterré la loi Robien, naturellement, pour des raisons politiques évidentes, mais qui nous évitait les 35 heures obligatoires au profit d'un dispositif plus réaliste.

— *Cette perspective vous a réellement été confirmée ?*

— Si ce n'était pas le cas, croyez bien que je ne m'avancerais pas de la sorte. Certains syndicats m'ont effectivement fait savoir qu'un accord avec le patronat sur un dispositif incitatif aurait permis à une majorité de partenaires sociaux de refuser le couperet de l'an 2000.

L'opposition irréductible de l'UIMM au concept de la RTT, qui représentait, selon cette organisation, une entrave aux autres mesures d'allégement de charges (temps partiel, sur les bas salaires, préretraite) et à la seule flexibilité, aura eu raison de cette perspective d'union sacrée entre partenaires sociaux.

En conclusion, et pour finir de répondre à votre question initiale sur la mort de la loi Robien, annoncée dès la victoire des socialistes aux élections législatives de 1997, je continue de vanter en France et à l'étranger les mérites du dispositif incitatif, parce que je suis persuadé que c'est le seul qui à la fois réponde aux besoins de création d'emplois, soit adapté à la diversité des situations et favorise la souplesse au sein de l'entreprise tout en stimulant le dialogue social. De même, jusqu'au vote de la seconde loi d'application des 35 heures en 1999, je ne me lasserai pas d'en dénoncer les erreurs, tout en recherchant avec les partenaires sociaux les moyens d'en atténuer la portée. Mais le gouvernement serait bien inspiré de reporter l'application de la loi Aubry au moment où, sans obligation, les négociations s'accélèrent. Va-t-on une nouvelle fois casser la dynamique de la concertation ?

— *Pouvait-on être de droite et défendre la réduction du temps de travail ?*

— Vous avez raison de me poser cette question, parce que dans la société manichéenne française, tant chez les politiques que dans l'opinion, il est d'usage de choisir un camp qui vous impose une thématique et une sémantique militante. Ainsi est-on, dans notre pays, pour ou contre la réduction du temps de travail. Si on est de gauche, on se doit d'en être un farouche partisan. À l'inverse, lorsque l'on est de droite, il faut en être un farouche adversaire.

Gilles de Robien, un libéral qui s'intéresse à la réduction du temps de travail, comment est-ce possible ? Sans se préoccuper des modalités, des conditions de son application, certains, de droite, ont immédiatement crié à la trahison, et d'autres, de gauche, flairé un piège.

Ainsi cette syndicaliste CFDT dans une réunion publique en Bretagne à l'automne 1997 qui, publiquement, à la tribune, a déclaré, après avoir reconnu les mérites du dispositif du 11 juin, que cette loi était initialement empreinte de suspicion parce que provenant d'un député de droite. Frappé du sceau infamant, ce dispositif ne pouvait être que suspect ! Comment accorder son soutien à une loi sociale portée par un homme de droite sans trahir son camp ? Problématique difficile que l'on retrouve d'abord chez certains syndicats (mais qui s'estompe rapidement) et surtout chez les politiques. L'opinion, quant à elle, plus pragmatique, accueille tout à fait favorablement ce type de démarche, privilégiant les majorités d'idées sur les replis idéologiques, dès lors que l'intérêt général est en jeu.

La CFDT qui avait fait de la RTT son cheval de bataille depuis des années, a soutenu très vite la loi du 11 juin, en formant plus de 5 000 délégués syndicaux au dispositif et en s'impliquant très fortement dans la promotion de la loi, au niveau local et national. À son avantage justement mérité !

Chez les politiques, il en fut malheureusement tout autrement. Je renvoie, dos à dos, une certaine droite et la gauche dans leur comportement.

— *Mais que leur reprochez-vous, aux uns comme aux autres ?*

À gauche, tout d'abord, où j'ai essuyé des critiques, de la part des communistes naturellement, mais, et c'est plus surprenant, de la part des socialistes : ils n'ont pas voté la loi et n'ont cessé pendant la campagne de dénoncer les modalités d'un texte, véritable cadeau, selon eux, fait au patronat. Ainsi était-il inadmissible que l'entreprise qui bénéficie de sept ans d'exonération soit dans l'obligation de maintenir ses effectifs seulement pendant deux ans. Ces bons apôtres n'avaient pas perçu ou pas voulu comprendre que la baisse des charges durait aussi longtemps que durait la réduction du temps de travail, soit sept ans. On a prétendu également, comme si l'obligation d'augmenter les effectifs de l'entreprise de 10 % n'existait pas, que ce texte ne créerait pas d'emplois.

Quelle ne fut pas ma surprise, lorsque la ministre du Travail présenta le volet incitatif de sa loi, de constater que son dispositif, à quelques nuances près, était identique à celui de la loi du 11 juin tant critiquée par elle et ses amis pendant toute la campagne électorale. Les socialistes, qui reprochaient à la loi Robien de ne pas créer suffisamment d'emplois, sont apparus pourtant nettement moins ambitieux

(6 % d'augmentation des effectifs au lieu de 10 %) ! De même, ils ont conservé le décalage entre la durée du maintien des effectifs et la durée de l'aide de l'État, reconnaissant implicitement que leurs critiques d'hier étaient non fondées.

À droite, le comportement a peu différé, même si c'est bien une majorité UDF-RPR qui a voté la loi. Certains se sont arc-boutés sur le discours idéologique, censé correspondre à leur électorat, sans se soucier du bilan quantitatif et qualitatif du dispositif. Contre toute logique, et alors que des dizaines de députés faisaient de cette loi un argument fort de leur campagne avec les bons résultats de leurs circonscriptions, d'autres la gommaient de leurs journaux de campagne. Je me souviens d'une réunion au PC de campagne des législatives au cours de laquelle le Premier ministre, Alain Juppé, avait courageusement osé citer la loi du 11 juin dans un silence de mort... Seul comptait l'allégement des charges pour les entreprises, piètre « argument » à opposer aux socialistes qui faisaient rêver avec les 35 heures pour tous, partout, sans réduction de salaire, et les 700 000 emplois-jeunes. Le bilan que nous avions à notre actif, qui avait permis de créer des dizaines de milliers d'emplois, d'améliorer les performances de l'entreprise et les conditions de vie des salariés, devait être camouflé parce qu'il n'était pas « politiquement correct ».

À l'Assemblée encore, je me souviens du visage de mes collègues de l'opposition, quand, en janvier 1998, défendant au nom de l'UDF l'exception d'irrecevabilité de la loi Aubry, j'ai d'abord vanté les mérites de l'aménagement et de la réduction du temps de travail dans son principe, avant de dénoncer les aspects négatifs de cette loi. Une heure durant, pendant toute la première partie de mon propos, consacrée à l'aménagement-réduction du temps de travail, outil au service de la compétitivité des entreprises et de la création d'emplois, j'ai été félicité et applaudi sur les bancs de gauche, tandis que la droite blêmissait et semblait regretter de m'avoir confié un tel temps de parole. Leur semblait-il impossible que l'on puisse faire la part des choses ? Dire à la fois que l'aménagement-réduction du temps de travail peut être une chance économique et sociale, et dénoncer, en même temps, les méfaits du passage obligatoire à 35 heures pour toutes les entreprises ? Attendaient-ils de celui qui a souhaité innover sur le plan législatif en matière d'aménagement-réduction du temps de travail qu'il dise le contraire de tout ce qu'il avait affirmé cinq ans durant, sous prétexte que l'article premier du texte devait être refusé ?

La deuxième partie de mon intervention expliquait pourquoi le projet gouvernemental coercitif n'était pas le bon outil pour mettre l'aménagement du temps de travail au service de l'emploi. Et l'opposition retrouva le sourire...

— *Le principal reproche que vous faites à la loi Aubry, n'est-ce pas le fait d'avoir remplacé la loi Robien ? Je crois que les gens ont du mal à comprendre pourquoi l'apôtre de la réduction du temps de travail dans notre pays se fait aujourd'hui aussi critique avec la loi de Mme Aubry.*

— Je crois avoir déjà effleuré quelque peu le sujet tout à l'heure. J'aurais soutenu le projet gouvernemental si son article premier n'était pas entaché du péché originel, c'est-à-dire l'obligation d'abaisser la durée légale du travail. Sur le fond, il faut que l'opinion comprenne que, sous couvert de RTT, deux logiques différentes s'affrontent et se réduisent à une problématique unique : l'incitation ou l'obligation. L'incitation est d'essence libérale. L'obligation d'essence socialiste.

Le dispositif incitatif de la loi Aubry, sur lequel je ne reviendrai pas dans le détail, s'articule autour d'un concept identique à celui de la loi du 11 juin et permet de créer ou de sauver des emplois en liant réduction du temps de travail, augmentation des effectifs et aides de l'État aux entreprises. Ce volet, dans la mesure où il demeure une incitation à la négociation, entreprise par entreprise, avec des solutions d'organisation imaginées par les acteurs au plus près du terrain, est un élément positif dans la dynamique qui doit être enclenchée en faveur de la négociation.

J'ai néanmoins trois regrets sur ce nouveau dispositif incitatif :

— Regret de constater que les ambitions socialistes, limitées à 6 % en termes d'emplois, sont moins importantes que celles de l'ancienne majorité ! Nous pensions que les 10 % de RTT pouvaient être compensés par 10 % d'augmentation des effectifs ; les faits nous ont donné raison, puisque la moyenne des créations d'emplois s'est finalement située autour de 12 %.

— Regret encore de constater que l'aide du gouvernement est, dans l'ensemble, beaucoup moins attractive pour les entreprises, dans la mesure où il s'agit d'une aide forfaitaire et non proportionnelle (comme dans la loi du 11 juin) sur les cotisations URSSAF à la charge de l'employeur. Cela favorise les entreprises à main-d'œuvre très peu qualifiée, dont les salariés sont payés au SMIC, et pénalise les entreprises à main-d'œuvre plus qualifiée dans des secteurs de pointe où la concurrence internationale est forte (par exemple, dans l'aéronautique ou dans l'informatique).

— Enfin, sur le plan social, il est à craindre que les compensations salariales soient beaucoup plus difficiles, compte tenu de la moindre incitation. Rappelons tout de même aux bonnes âmes qui qualifiaient la loi Robien de « réactionnaire » que dans 87 % des accords, la compensation salariale était intégrale.

La logique aurait voulu qu'une loi coercitive n'intervienne qu'ultérieurement en cas d'échec de l'incitation. Ma détermination à combattre le projet gouvernemental d'abaisser autoritairement la durée légale du travail est donc totale. Je suis en effet persuadé que les 35 heures obligatoires ne créent pas les conditions de la réussite et, pire encore, vont briser la dynamique possible de la compétitivité des entreprises, du dialogue social et de l'emploi.

Je voudrais citer une phrase extraite du rapport de la mission parlementaire de 1994 sur l'aménagement-réduction du temps de travail : « La répartition du travail entre le plus grand nombre est un levier essentiel pour l'emploi. La CFDT est favorable à ce mouvement de réduction du temps de travail, mais exclut toute mesure générale unique. L'exemple du passage aux 39 heures en 1982 illustre les inconvénients d'une telle formule : peu de créations d'emplois, de l'ordre de 20 000 à 60 000, et l'arrêt d'un processus historique de RTT. Il convient d'envisager des formules diversifiées et originales au-delà de la notion traditionnelle de durée hebdomadaire. La durée du travail doit être appréciée également annuellement et sur l'ensemble de la vie active. Une mesure générale et symbolique de type 37 heures ou 35 heures, ou semaine de 4 jours, n'est pas adaptée en tant que solution unique. » Cette phrase a été prononcée par un éminent responsable du syndicat CFDT, M. Jean-René Masson, ancien numéro deux de cette organisation, spécialiste de la RTT et je m'y rallie totalement. Contrairement au dispositif incitatif, cette loi Aubry n'est assortie, à partir du 1er janvier 2000, d'aucune obligation en termes d'embauche et tous les observateurs ont, à cet égard, déjà remarqué que l'objectif initial de création d'emplois a été bien vite oublié et esquivé.

Certains, dans la majorité, se sont inquiétés de l'imprudence de ces objectifs chiffrés d'emplois et des désillusions qu'ils risquaient d'entraîner. Une autre orientation a bien vite été trouvée ! Dès lors, les 35 heures favoriseront la souplesse dans les entreprises (le mot flexibilité étant politiquement incorrect), et permettront, on l'espère, d'améliorer la qualité de vie et de travail des salariés. Et si cela crée en plus des emplois, tant mieux ! Un discours destiné à amadouer le patronat dont on a tout de même un peu besoin, et qui rappelle que, tout socialiste que l'on est, on n'en est pas moins proche des réalités !

— *Pourquoi cette inflexion du discours ?*

— Parce que, comme je le dis depuis un an, le texte Aubry vise la baisse de la durée légale et non effective du travail et qu'il risque, de ce fait, de créer très peu d'emplois. Les chefs d'entreprise annoncent d'ores et déjà qu'ils chercheront à produire autant en 35 heures qu'en 39 ! Une enquête Sofres parue dans *le Monde* en octobre 1997 indiquait que 69 % des sondés estimaient que les 35 heures seraient sans effet sur les créations d'emplois, persuadés que leurs employeurs maintiendraient leur charge de travail en un temps réduit. La France est, avec le Japon, l'un des pays dans lesquels les gains de productivité sont les plus élevés et, par conséquent, les créations d'emplois les plus limitées. En termes d'emplois, force est donc de constater que cette loi sera un recul par rapport aux différents dispositifs incitatifs.

— À travers vos propos, on comprend bien qu'il n'y a pas une, mais deux lois Aubry, et que les conséquences sur l'emploi de l'abaissement de la durée légale risquent d'être très décevantes. Sur le plan économique et social, allons-nous, selon vous, connaître le même type de désillusion ?

— Là encore, et paradoxalement, la désillusion risque de ne pas être du côté où on l'attend le plus. Je suis persuadé que l'abaissement de la durée légale du travail aura des conséquences négatives sur la compétitivité des entreprises et sur l'économie du pays, mais peut-être plus encore, et c'est surprenant et moins prévisible, constituera une régression sociale pour les travailleurs. Cette mesure pèsera, bien que de façon différente selon les entreprises, sur leur compétitivité. Ainsi, le coût des heures supplémentaires est estimé à 2 ou 3 % et, dans cette perspective, il faut s'attendre à ce que la productivité soit réservée au surcoût, pas à l'emploi. Par ailleurs, le risque de délocalisation existe, même s'il ne faut pas l'exagérer. En effet le maintien du salaire, exigé par les syndicats, mais qui ne pourra plus être compensé par les exonérations de charges, se traduira par une augmentation importante du coût du travail et, par conséquent, la tentation pour nombre d'entreprises de se délocaliser. De même peut-on craindre une relative fuite des investisseurs étrangers : le renchérissement du coût du travail risque ainsi de rendre le site de production français aussi peu attractif que le site de production allemand et conduire les investisseurs à s'établir ailleurs que sur notre sol.
Dernier risque, et non des moindres : la perspective des

35 heures obligatoires en l'an 2000 pèsera à la baisse sur les négociations salariales au cours des deux années à venir ; on peut attendre de cette baisse du pouvoir d'achat des salariés des effets négatifs sur la consommation intérieure et, par conséquent, sur l'emploi.

Et pour ajouter aujourd'hui aux inquiétudes des chefs d'entreprise qui mettent en place des stratégies, font des prévisions pour investir, embaucher et négocier, rien n'est dit sur les mesures d'accompagnement qui doivent faire l'objet d'une seconde loi, fin 1999. À ce jour, on ne sait toujours rien du taux de majoration et du volume d'heures supplémentaires, rien sur les différents SMIC qui se dessinent, rien sur le temps de travail des cadres, rien sur les 35 heures dans la fonction publique...

Le gouvernement a choisi la facilité en ne répondant pas aux questions qui s'attachent à l'obligation des 35 heures et en renvoyant à une loi ultérieure pour les modalités, tout en fixant d'ores et déjà l'échéance couperet. L'économie et les relations sociales ont besoin de stabilité et de lisibilité. Aujourd'hui nous évoluons dans un véritable flou artistique.

— *Quelles peuvent être les conséquences d'une telle situation ?*

— Je vous ai peut-être surpris en disant, tout à l'heure, que les conséquences pour les travailleurs et le dialogue social seraient pires encore que celles qui allaient peser sur les entreprises. Longtemps, c'est un discours inverse qui a été tenu de toutes parts. Les 35 heures seraient un progrès social formidable, mais aux conséquences économiques incertaines ! En fait, je redoute les conséquences sociales de l'abaissement de la durée légale du travail. Cette loi risque de casser la dynamique de la négociation qui prévalait dans les lois incitatives et qui laissait espérer un pacte social de type néerlandais. Notre pays souffre douloureusement de sa carence de dialogue social, de l'absence de négociations avec des syndicats qui pâtissent de leur manque cruel de représentativité.

La loi du 11 juin et, dans son prolongement, le volet incitatif de la loi Aubry avaient relancé le dialogue social au niveau des branches, mais avaient surtout redynamisé et régénéré dans son contenu le dialogue social. Je crains que, désormais, le donnant-donnant n'ait plus lieu d'être. Des débats contradictoires s'étaient instaurés dans chaque entreprise, où la recherche du compromis prévalait dans l'intérêt de tous, pour que flexibilité, compétitivité, création d'emplois et amélioration des conditions de vie des salariés ne soient plus antinomiques. Avec la loi obligatoire du gouvernement socialiste, cet édifice s'écroule. D'ores et déjà, la presse commence à se faire l'écho de conflits dans des entreprises publiques ou privées où les négociations ont été rompues par des syndicats qui attendent, sans accepter aucune contrepartie en termes de flexibilité, l'abaissement de la durée légale en l'an 2000. On peut craindre que la remise en cause des conventions collectives rendue indispensable par la loi, pour certaines branches, conduise à des tensions sociales comme on le voit dans les banques ou les grands magasins. Beaucoup, parmi ceux qui avaient cru aux slogans de campagne des 35 heures, sans réduction de salaire, s'estiment aujourd'hui trompés. Beaucoup n'auront pas les 35 heures et ceux qui les auront risquent de les payer cher alors même qu'il n'y aura pas d'emplois à la clef ! Pour certains, on va assister à une baisse de pouvoir d'achat avec la suppression des heures supplémentaires. Pour la plupart, une productivité accrue sera exigée, avec des pressions toujours plus fortes sur des salariés qui auront une charge de travail plus importante. Selon un sondage Sofres, publié dans *le Monde* en octobre 1997, 69 % des salariés considèrent que si l'on réduit leur temps de travail, leur employeur leur demandera d'en faire plus en moins de temps et ce sentiment est particulièrement fort chez les ouvriers (75 %).

Les sympathisants de gauche étaient 65 % à penser, pour cette raison, que cette loi des 35 heures ne créera pas d'emplois (77 % à droite). On voit que les Français accueillent avec prudence, sur le plan social et économique, cette mesure que la gauche avait présentée comme la plus grande réforme sociale de la législature. En effet, forts de leurs expériences quotidiennes dans les bureaux et les ateliers, où les gains de productivité ont été croissants depuis des décennies, les deux tiers de nos compatriotes savent qu'à temps réduit, la charge de travail risque d'être identique, et les cadences toujours plus rapides. La ministre de l'Emploi déclarait en 1994, devant la mission d'information parlementaire sur l'aménagement-réduction du temps de travail, « qu'une des conditions de la réussite de la RTT accélérée était l'improbabilité de maintenir les salaires, ce qu'auraient compris, disait-elle la plupart des Français... » Les mois à venir nous diront si nos compatriotes l'ont effectivement compris de la même façon ! Il est à craindre que les chômeurs et les salariés soient les grands perdants.

— L'un des outils pour l'État afin de corriger tout ce qui peut être injuste, c'est l'impôt, la répartition de l'impôt. Vous avez le sentiment aujourd'hui que la fameuse réforme fiscale, que l'on appelle depuis des années de part et d'autre, viendra un jour ?

— Vous connaissez la définition du bon impôt : une assiette large et un taux faible. Progressivement, on a fait tout le contraire en multipliant les déductions et les Français non assujettis, sans baisser les taux.

Une assiette large, cela voudrait dire que tout le monde serait imposable à l'impôt sur le revenu, ne fût-ce que de 10 F par mois ou de 100 F par an. Ce serait utile pour conserver un regard de citoyen sur l'argent public et son utilisation. Il me semble qu'à travers des dispositifs comme la CSG ou le RDS, on compense déjà l'erreur qui a été faite, tant par la droite que par la gauche, de réduire le nombre de contribuables imposables sur leurs revenus.

Un bon impôt signifie également un taux faible parce que le niveau de nos prélèvements est un frein considérable au dynamisme de notre pays. Ce qui est terrible pour les citoyens, c'est de savoir qu'on les taxe pour payer des dettes et des déficits de l'État, pour payer les aventures de telle ou telle banque, etc. Au niveau local, les contribuables peuvent mieux percevoir où passe leur argent. En général, et malgré ce que montre chaque mois dans son émission télé mon ami amiénois Jean-Pierre Pernaud, cet argent local est bien utilisé et mis au service d'actions utiles et visibles pour les gens. Dans le cas contraire, l'élu ne tarde pas à être sanctionné.

La troisième réforme serait de maintenir les règles de l'impôt stables pendant cinq ou dix ans. Chaque année, nous assistons à l'apparition de nouvelles règles fiscales. Chaque ministre des Finances veut ajouter un dispositif. Et le ministre est déjà parti que sa mesure n'est pas encore entrée en application ou n'a pas obtenu les effets escomptés. Il est temps alors de changer de ministre et de modifier les mesures fiscales imaginées précédemment...

L'élargissement de l'assiette, la baisse des impôts et la stabilité des règles du jeu me semblent les trois réformes essentielles à réaliser en matière de fiscalité.

— *Et aussi la simplification, qui est un peu en filigrane dans vos propos...*

— Oui, mais ça ne me paraît pas le plus essentiel. Adaptabilité ne rime pas toujours avec simplicité. Une très forte baisse des impôts, un vrai pari fiscal serait, lui, un signal très fort pour la croissance et la prise de risques. Il serait de nature à rassurer les contribuables, à augmenter leur consommation, à encourager leurs initiatives. Ce serait un signe fort en direction du monde du travail.

— *Il existe aussi une contradiction à laquelle sont confrontés le système économique et l'homme politique : celle qui existe entre la compétitivité et le respect des lois de l'environnement. Pour vous, les Verts ont-ils joué un rôle important ? Faut-il davantage prendre en compte leurs revendications ou vont-ils trop loin ?*

— Les Verts ont mis en musique avec passion et souvent

avec conviction une politique en faveur de l'environnement que beaucoup de collectivités locales appliquaient mais avec une présentation trop technique et moins médiatique. Les élus locaux se préoccupent de la destination des ordures ménagères, de leur tri, de leur incinération, voire de leur méthanisation. Ils respectent et améliorent l'environnement lorsqu'ils plantent le maximum d'arbres, lorsqu'ils font de l'assainissement dans leur ville, lorsqu'ils s'occupent des stations d'épuration avec des systèmes de traitement des odeurs, de traitement des boues ; on piétonnise, on crée des pistes cyclables et on achète des véhicules au GPL. Dans une ville, on fait de l'environnement tous les jours.

Les écologistes ont eu néanmoins le mérite d'anticiper sur l'idée à laquelle je crois fermement qu'il n'y a pas contradiction entre le progrès économique — le vrai, celui qui respecte l'homme — et l'attention portée à l'environnement. Il y a encore beaucoup d'incompréhensions et d'inconséquences dans ce domaine comme l'ont montré les positions de certains pays industrialisés lors des récentes conférences sur le climat. Et on voit très bien que la préservation de l'environnement, sa reconquête pourrait-on dire, est nécessaire si on veut continuer à vivre et à se développer. Le développement durable est source de compétitivité parce que, de plus en plus, les entreprises chercheront des endroits de qualité pour s'implanter. Partout où on sera équipé pour traiter les eaux, les sols, les fumées, on pourra continuer à se développer.

Je regrette cependant que les Verts se banalisent dans un discours politique tous azimuts et du coup perdent leur spécificité. Et même parfois leur spontanéité. Avec un « Dany le Rouge » quittant La Hague dans la voiture du préfet et protégé par un cordon de CRS. « La nostalgie n'est plus ce qu'elle était. »

— *Dernière chose et je fais le lien, c'est le problème de l'immigration, qui se pose beaucoup aux gouvernants français comme à d'autres gouvernements européens d'ailleurs.*

Comment concilier à la fois la nécessité d'ouverture, voire de générosité, la nécessité de renouvellement de la population française et la nécessité d'éviter l'intolérance, voire le rejet ?

— Lorsque l'on dit que la France a toujours été une terre d'accueil, je trouve que le vocabulaire n'est pas juste. La France a toujours été une terre d'invasion et de mixage forcé de populations. Pas d'accueil. Je ne pense pas que l'on ait accueilli à bras ouverts les légions romaines, les Vikings, les Sarrasins ou les Huns. Plus près de nous, les immigrés polonais ou italiens ont connu un accueil réservé, voire hostile. Notre force, c'est en revanche d'avoir su, générations après générations, transformer ces immigrés en citoyens à part entière et pour certains en héros. Raymond Kopa, fils de mineur polonais, Michel Platini, petit-fils de maçon italien, Zinédine Zidane, fils d'ouvrier algérien, sont autant de témoignages de ce brassage réussi. La richesse de notre pays tient dans cette capacité millénaire à profiter du savoir, de la culture, de la diversité, des qualités morales des peuples les plus différents. Si on veut vraiment maintenir cette tradition française, nous devons réguler notre immigration en fonction des cycles économiques pour que les réflexes de rejet ne l'emportent pas sur le souhait d'une majorité de Français de maintenir cette capacité et cette tradition d'accueil et d'intégration. Aujourd'hui, il faut marquer une pause dans l'arrivée de nouvelles populations. Parallèlement, je souhaite que l'on puisse amplifier, peut-être accélérer, la politique d'intégration, et engager une politique de coopération plus forte à destination des pays de départ. Je crois que notre politique de coopération a besoin de se remettre en cause. Elle a trop profité à des systèmes, elle a trop profité à quelques-uns, et pas aux peuples eux-mêmes.

— *Vous vous inscrivez en faux contre l'exploitation qui a été faite de ces problèmes de l'immigration aussi bien par la droite que par la gauche.*

— Oui, parce que notre politique d'intégration a considérablement souffert d'être l'objet de combats et de surenchères partisanes. Il est tellement facile de jouer sur les craintes de l'étranger, sur la peur des différences. En outre, pardon de ce corollaire, je suis persuadé que si l'État avait le courage de baisser chaque année la fiscalité, il y aurait moins de racisme en France.

Si la fiscalité baissait et si nous réussissions également à passer progressivement d'une logique d'assistance à une logique d'activité, en particulier pour le RMI, je suis convaincu que le sentiment d'invasion continue qu'expriment quelques extrémistes, et quelquefois même des gens qui ne le sont pas, diminuerait de façon très sensible. Les étrangers qui vivent dans notre pays seraient considérés davantage comme des hôtes et comme des apports nécessaires dans une société qui a toujours été une société d'intégration et de brassage de peuples.

— *Justement, vous qui aviez reçu à l'Assemblée nationale les représentants des grévistes de la faim de Saint-Bernard, on vous a peu entendu sur le problème des sans-papiers et des expulsions...*

— J'ai une position différente de celle de beaucoup de mes collègues sur cette question et je craignais que les exigences médiatiques ou les combats partisans ne déforment mon point de vue. La politique de l'actuel gouvernement n'est pas réaliste. Comment expulser 100 000 immigrés en situation irrégulière et notamment ceux qui par milliers se sont rendus dans les préfectures dans l'espoir d'une régularisation ? Aujourd'hui, ces personnes n'ont ni papiers ni dignité. On oublie aussi que ces immigrés sont presque toujours entrés régulièrement en France. C'est à l'expiration de leurs titres de séjour qu'ils sont devenus clandestins. Il existe une grande confusion entre les « sans-papiers » et les clandestins. Si ces derniers sont bien entrés illégalement en France, beaucoup de sans-papiers peuvent avoir vécu légalement en France pendant de longues années et se trouver dans l'illégalité à la suite d'un caprice de l'administration ou d'interprétations administratives à géométrie variable. À qui fera-t-on croire que notre pays ne peut intégrer 80 000 étrangers passés en situation irrégulière, soit l'équivalent des spectateurs du Stade de France ? Je crois qu'il fallait régulariser les sans-papiers, à l'exception des derniers entrants, des vrais clandestins et des délinquants, et se montrer en revanche inflexible sur le contrôle aux frontières et surtout sur le principe de reconduite immédiate pour les étrangers coupables de crimes et délits. Le résultat concret de la politique d'immigration de Lionel Jospin, c'est qu'une demi-mesure laisse aujourd'hui dans la nature et sans papiers des personnes qui sont en France depuis des années et y sont entrées régulièrement pour la majorité d'entre elles. C'est inhumain de ne pas avoir d'identité. Et c'est une façon de pérenniser la clandestinité. Inhumanité et laxisme caractérisent cette stratégie de l'immobilisme du gouvernement.

— Mais cette politique d'assistance que vous voudriez transformer en politique d'activité, est-ce une critique que vous adressez à la politique de la ville ? On appelle ça pudiquement la politique de la ville, chacun a compris que c'est la politique des quartiers en difficulté.

— La politique de la ville, en réalité, n'existe pas vraiment. En tout cas, pas telle que je l'espère depuis longtemps. Il existe bien quelques ressources tirées de chacun des ministères, le logement, la culture, les affaires sociales, auxquelles on ajoute un peu d'argent européen et avec lesquelles on s'efforce de pratiquer une discrimination positive en faveur des quartiers difficiles. Le ministère de la Ville est un ministère dépendant de celui des Affaires sociales avec un budget transversal. En toute logique, le bon positionnement d'une politique de la ville serait d'être directement rattachée au Premier ministre. Ce serait l'expression d'une volonté politique forte et l'indication que l'on raisonne en termes d'aménagement du territoire et pas d'assistance. Depuis 1993, je réclame un vrai plan Marshall pour la ville car j'estime que l'on ne peut plus se satisfaire de la logique d'habitat et d'espaces publics des années 60 et 70, c'est-à-dire une époque de pleine activité avec pour les gens des ressources, et donc la perspective de week-ends, de vacances, de loisirs, de culture. Trente ou quarante ans après, ces mêmes habitats, parfois rénovés, ne peuvent convenir ni en termes de lieu de vie à des chômeurs qui doivent y demeurer 24 heures sur 24, ni en termes de loyer pour une population qui s'est considérablement appauvrie. Aujourd'hui, des loyers à 1 500 ou 2 500 F pour des gens qui sont allocataires du RMI et sans enfants entraînent des impayés qui s'accumulent dans les sociétés HLM, précarisent le système du logement social et surtout mettent les familles dans des situations d'inconfort psychologique épouvantable. C'est clair, la politique de la ville ne répond pas à ces problèmes de logement. En revanche, ici et là, la politique de la ville permet de financer un équipement supplémentaire, un soutien à la somme de générosité qui se développe dans les quartiers notamment grâce aux associations. C'est le milieu associatif qui prend le relais du manque d'activités, du manque d'emplois, du manque d'État. En 1999, le budget du ministère de la Ville est trois fois plus faible que les sommes consacrées à la suppression de 30 000 emplois de travailleurs âgés dans le secteur automobile (3,8 milliards de francs).

— *Et la sécurité ?*

— Ne mêlons pas le problème de la précarité avec celui de la sécurité. Néanmoins si quelqu'un est chômeur avec de très faibles ressources, un loyer trop important par rapport à ce qu'il peut payer, et si, en plus, il n'ose pas sortir de chez lui parce que son quartier n'est pas sûr, peut-on appeler cela « vivre » ?

— *Tant le président de la République que le Premier ministre ont affirmé cette volonté de revenir à une politique plus ferme de sécurité.*

— J'ai fait part aussitôt de mon intérêt pour cette sensibilisation des pouvoirs publics aux problèmes de sécurité. Enfin ! Au plus haut niveau, il y a eu une prise de conscience que toute notre République risque de vaciller sous l'effet de cette dérive insécuritaire subie par de nombreux quartiers. Maintenant, je suis comme saint Thomas, et je jugerai aux résultats concrets sur le terrain. Je reste sceptique sur la capacité des administrations concernées à se réorganiser pour s'adapter à ces nouvelles formes de délinquance. Étant donné les divergences sérieuses entre ministres, je crains aussi l'absence de coordination des actions respectives.

D'autant que ce n'est pas tellement dans leurs habitudes. L'éducation nationale, la justice, la police : autant d'États dans l'État sur lesquels même un préfet ne peut avoir qu'une influence modeste. Les corporatismes sont considérables, les conservatismes, les susceptibilités aussi. Or, il faut donner la priorité à la proximité, à la réparation, à l'îlotage, à la médiation, à l'éducation surveillée. Tout cela, ce n'est pas très prestigieux. Ce sont des tâches souvent ingrates avec des résultats incertains et pas facilement quantifiables. Il faudra des moyens en hommes et en formation, et surtout de la volonté politique. Sans parler donc des réorganisations pour lesquelles, je l'espère, les syndicats d'enseignants, de magistrats, de policiers sauront percevoir plutôt l'intérêt général que leurs intérêts catégoriels et leurs avantages acquis. Il n'y a pas le choix. Tout se jouera sur la capacité des administrations à faire leur révolution culturelle et à intégrer cette exigence de proximité. Vous connaissez les chiffres : 40 % des délits se passent la nuit alors que seulement 4 % des effectifs policiers sont sur le terrain à cette heure !

— *On a bien réussi la réforme de notre défense nationale...*

— Il n'y a pas de syndicats catégoriels dans l'armée !

— *Oui, mais il y avait des élus locaux !*

— Qui ont su comprendre l'intérêt général ! À Amiens, tous les sites militaires ont été fermés.

— *Revenons à la sécurité. Comment combattre l'idée selon laquelle les banlieues seraient devenues des zones de non-droit ?*

— Tout délit même mineur doit être sanctionné mais d'une manière proportionnée. Je crois beaucoup à l'expérience amiénoise du « classement sous réserve de réparation ». La plainte est classée si le mineur délinquant se présente à la convocation d'un délégué du procureur avec ses parents et accepte de réparer. Sinon, il y a poursuite judiciaire. Récemment à Amiens, des mineurs ont dû nettoyer toute une cave et repeindre un sous-sol. Moins d'un mois s'est écoulé entre l'acte de vandalisme et la réparation-sanction. La multiplication des classements sans suite par les procureurs par faute de temps, de moyens, ou tout simplement parce que la faute est mineure, est responsable du terrible sentiment d'impunité qu'éprouvent les gens. Il faut y mettre fin et trouver dès la première faute la réponse appropriée. Sinon, c'est la récidive assurée.

— *Comme à New York ?*

— Je suis allé comme d'autres élus m'immerger deux jours dans la police municipale de New York pour observer la fameuse application de la théorie dite du « carreau cassé ». On intervient et on punit dès la première faute même vénielle parce que le carreau cassé dans un bâtiment peut y amener des intrusions, des individus peuvent squatter, des dealers faire commerce, avec un jour le risque d'un règlement de comptes meurtrier. Cette politique, dite de tolérance zéro, est très spectaculaire et surtout contraire à ce qu'a fait pendant longtemps la hiérarchie policière française, en négligeant la petite délinquance pour se concentrer sur les délits et crimes les plus importants. À New York, c'est aussi le même policier qui fait de l'îlotage et qui éventuellement sévit ou rappelle les règles. En France, on a séparé les deux missions. Du coup l'îlotier n'est pas respecté et le policier reçoit des insultes et des pierres. Cette police new-yorkaise est une police municipale et je crois que c'est aussi une des clés de son efficacité. Le maire est comptable devant ses administrés de l'augmentation ou de la baisse de la criminalité. La volonté politique est totale et je ne crois pas avoir encore entendu Amnesty International dénoncer les méthodes de cette police municipale.

— *Quel est votre avis sur la question des centres de détention pour mineurs ?*

— Pour trop de jeunes multirécidivistes, il est malheureusement trop tard et l'éloignement est vital. Pour les quartiers mais aussi pour les délinquants. Souvent, ils sont conscients d'être enfermés dans des logiques de caïdat, dans des personnages de mauvais garçons, de délinquants affirmés ; et seul un éloignement de leur quartier peut briser cette descente aux enfers. D'autant que certains ne sont pas à titre personnel et individuel des délinquants en puissance comme on les connaissait autrefois. Ils sont intégrés dans des logiques collectives, dans des cultures de rue très négatives. Certains sont même de bons élèves ou de bons fils ; mais sortis de la classe ou du foyer, ils deviennent incontrôlables et irresponsables. Les statistiques et les études montrent aussi que passé un certain âge la très grande majorité sort de cette logique de petite délinquance. Souvent, disent des éducateurs, c'est à la première relation amoureuse sérieuse que le comportement change complètement. Ce sont autant de témoignages de cette mauvaise culture collective circonscrite à un âge et à certains quartiers. Quand des jeunes sont arrêtés par la police, ils sont souvent incapables de donner la moindre explication à leur comportement délictueux. On brûle des voitures ou des poubelles comme jadis on tirait des sonnettes ou on fumait des cigarettes dans une cave. Hier, le film référence s'appelait *les Quatre Cents Coups*. Aujourd'hui, il s'appelle *la Haine*. Avec Truffaut, la saga d'Antoine Doinel se poursuivra à travers les films. Avec Kassovitz, le héros meurt à la fin du film. Tout un symbole...

— *L'autre débat qui a fait couler beaucoup d'encre, c'est la responsabilité des parents. Ou plus exactement leur irresponsabilité.*

— Je suis réticent à l'idée de supprimer les prestations familiales aux parents de délinquants. Une telle mesure serait, dans bien des cas, pire que le mal. Elle contribuerait à enfoncer davantage des parents dans leurs difficultés et les premiers à en souffrir seraient les enfants. Au demeurant, je suis assez favorable au principe de la mise sous tutelle des prestations. Dans ce cas de figure, les parents bénéficieraient aussitôt du secours d'une assistante sociale qui affecterait les paiements des prestations familiales à la cantine scolaire, au matériel pédagogique, au loyer ou au centre de loisirs. À Amiens, nous avons aussi le projet d'une école des parents, soit pour former de futurs parents aux tâches éducatives, soit pour leur venir en aide. Des associations mènent déjà ce travail dans certaines villes avec des résultats très encourageants.

Ce qui me désole, en tant que maire, c'est de constater à quel point une minorité d'individus détériore l'image de ces quartiers difficiles. Combien d'enfants et de jeunes font aussi de la musique, du théâtre, de l'informatique. Combien d'éducateurs préservent tout au long de l'année, par leur talent et leur générosité, des milliers de jeunes de la drogue et des influences négatives de leur environnement. Les médias le montrent peu. Ou alors ils l'inscrivent dans la rhétorique habituelle des banlieues. Heureusement, il y a encore des trains qui arrivent à l'heure dans ces quartiers, des parents au chômage qui éduquent bien leurs enfants, des hommes et des femmes qui ont un emploi et qui l'été partent en vacances, des jeunes qui deviennent étudiants, des entreprises ou des commerces qui travaillent, des médiathèques ou des stades qui tournent à plein régime.

7. UNE ESPÉRANCE POLITIQUE

— Après tout ce qu'on a dit sur le fonctionnement des insti-
tutions, sur les règles de la politique, sur l'Europe, sur l'emploi,
sur les questions de société, sur les outils de la politique, y
a-t-il matière à rester très optimiste ? N'êtes-vous pas désabusé
aujourd'hui ?

— Pas du tout. Surtout grâce à mon mandat local. Le
mandat national est quelquefois un peu décevant, même si
pour la première fois depuis très longtemps je me sens très
à l'aise dans cette nouvelle UDF. Sous l'impulsion de son
président, François Bayrou, l'UDF est sur le chemin d'une
synthèse politique équilibrée, libérale, sociale, européenne,
qui peut rassembler et entraîner. L'énorme avantage de la
politique, c'est de pouvoir rencontrer et encourager les
acteurs de la vie, ceux qui font des choses extraordinaires,
qui ont envie de se surpasser, qui apportent par leur bénévo-
lat de vraies améliorations à la vie dans notre pays. Il y a
tellement de générosité et d'idées qui cherchent à s'exprimer. Et rien que pour cela, j'ai envie de continuer à faire de
la politique. Pour permettre à ces gens de réaliser une partie
de leurs rêves. Souvent des rêves rentrés que l'action politique, surtout à travers la démocratie locale, permet de révé-
ler. Ce sont des richesses souvent camouflées, cachées,
intériorisées qui peuvent apporter beaucoup de bonnes
choses et beaucoup de bien-être à la population. Et j'ai le
sentiment de jouer davantage un rôle de révélateur que de
leader. A contrario, il ne faut pas non plus chercher à s'ac-
crocher à la fonction politique. Savoir partir. J'ai entamé

une réflexion sur ce sujet le jour où j'ai été élu. D'abord parce qu'on ne peut pas être innovant très longtemps. Et ensuite parce qu'en s'accrochant à son mandat, on risque d'empêcher ou de retarder l'éclosion de générations d'hommes ou de femmes politiques plus dynamiques et plus imaginatifs. Enfin parce qu'il y a des choses intéressantes et utiles en dehors du monde politique.

— *À l'aube du IIIe millénaire, quelles sont à votre avis les chances et les ressorts, les points d'appui qui peuvent permettre de transformer cet univers politique assez rapidement ? Ou au contraire pensez-vous qu'il faudra des décennies pour qu'il évolue ?*

— La nécessité de renouveler et de réformer la politique s'impose. On vit avec les mêmes leaders depuis vingt-cinq ou trente ans. Ils étouffent probablement toute une capacité d'imagination, de renouvellement des idées qui ne demandent qu'à s'exprimer. Cette volonté qui s'affirme peut être très rapidement contagieuse. Je crois que la révolution des nouvelles technologies de l'information et de la communication est à l'image de ce qui peut se passer en politique dans les années qui viennent. Une transformation complète de la vie politique qui est aujourd'hui trop institutionnelle, très verticale, trop installée.

— *Vous dites ça, mais on voit les listes des élections européennes qui vont être conduites par des hommes qui sont depuis longtemps dans les appareils politiques : Philippe Séguin, Charles Pasqua... Tout le monde sait que probablement, dans trois ans, les élections présidentielles vont se jouer, sauf imprévu, entre un homme qui a commencé sa carrière politique dans les années 65 et un autre qui l'a commencée dans les années 70. C'est désespérant, non ?*

— Pour les élections européennes, le renouvellement s'amorce. Ceux que vous avez cités seront présents, c'est vrai, mais il y aura aussi des responsables plus neufs comme

François Bayrou, François Hollande, Daniel Cohn-Bendit, Robert Hue aussi, Bruno Mégret malheureusement. Vous voyez, les choses bougent à la faveur de cette élection proportionnelle.

Pour les élections présidentielles de 2002, je suis incapable de les prédire. Il peut se passer beaucoup de choses d'ici là. Six mois avant les élections présidentielles, Jospin était dans les oubliettes politiques. Deux ans avant, désespéré de la politique, il sollicitait Alain Juppé pour devenir ambassadeur à Madrid.

— *Votre devenir est-il plutôt à droite ou plutôt, pourquoi pas, à gauche ?*

— Mon devenir personnel ?

— *Oui.*

— Tout au long de cet entretien, je vous ai dit que la droite et la gauche auront de plus en plus de mal à se distinguer sur la base de ce clivage classique. La gauche française est la plus archaïque d'Europe, avec la persistance de principes idéologiques qui me paraissent vraiment contraires à l'intérêt général et à la modernité. Mais si elle se modernise sans se déchirer, attention les dégâts à droite. Pour ma part, je me sentirais parfaitement à l'aise dans une droite plurielle refusant les extrêmes, ouverte, républicaine, et dans une UDF qui sache concilier l'économie de marché, l'Europe, la proximité et la solidarité. Une vraie droite moderne qui ressemblerait peut-être à la fausse gauche anglaise de Tony Blair, un vrai libéral-social. Peu importe, si on appelle ça la nouvelle droite ou la deuxième droite. Le contenu fera l'intitulé.

— *Vous avez parlé de la VIe République et de l'émergence de cette famille libérale et sociale que vous venez de définir. Quel rôle voulez-vous jouer personnellement dans l'avènement de cette aspiration nouvelle, voire de cette VIe République.*

— Un rôle de stimulus, pas forcément d'acteur. Ce rôle-là, je tente de l'assumer pleinement dans ma ville, et sur le plan personnel, il me comble. Si nationalement je peux stimuler ma famille politique et l'aider à évoluer vers ce positionnement central de la vie politique, j'en serais heureux. C'est pour cette raison que j'ai beaucoup agi pour l'unification de l'UDF. Puisse-t-elle, pour la première fois peut-être depuis le gaullisme, réconcilier l'économie de marché et la solidarité. Comment encourager la responsabilité et l'initiative et, parallèlement, relever les gens qui sont abattus ? Si nous parvenons à concilier marché et solidarité, si notre comportement de dirigeants de l'UDF est moralement clair, si l'on parvient à se renouveler tout en profitant de l'expérience des grands responsables politiques qui ont bâti les fondations de l'UDF, comme Raymond Barre, Simone Veil ou Valéry Giscard d'Estaing, je pense que nous représenterons une alternative crédible à un gouvernement socialiste usé par le temps et les erreurs.

— *Nous vivons de grands bouleversements et, à vous entendre, on a l'impression que la capacité des hommes à bien gérer la France compte plus que leur idéologie ?*

— Oui. Mille fois oui. Les Français ont de plus en plus tendance à confier la responsabilité du pouvoir à un homme, à un comportement, à un regard, et de moins en moins à une étiquette politique ou à un programme précis. Amiens, par exemple, est une ville historique de la gauche communiste. Un jour, cette ville a choisi un maire, non parce qu'il portait l'étiquette d'un parti dit de droite, mais probablement parce qu'il proposait une autre façon de vivre dans la cité.

— *Vous avez dit à plusieurs reprises en définissant la vie politique qu'il s'agissait d'un don à la collectivité. Néanmoins, pour faire de la politique, même si l'on n'est pas énarque, il y a quand même des choses à savoir, un apprentissage à effectuer. Lorsque vous avez été élu maire d'Amiens, vous avez bien dû apprendre le métier de maire ?*

— Être maire est une fonction et non un métier, un mandat et non une profession. Il faut l'exercer avec une grande rigueur professionnelle sans l'obsession de la carrière. Jacques Douffiagues, député-maire d'Orléans et ancien ministre, est retourné dans le secteur privé après avoir épuisé les charmes du pouvoir. Il a su se mettre en congé de la vie politique pour observer si des entreprises privées viendraient le chercher, ce qui n'a pas manqué. C'est une attitude courageuse qui reste un modèle. Si l'on devient répétitif et rasant, si l'on devient un frein aux nouvelles idées, si l'on bloque l'éclosion de nouveaux talents ou de nouvelles personnalités, il faut partir. Je salue le courage de Lionel Jospin d'avoir su écarter les éléphants de la « mitterrandie ».

— *Et du côté de l'opposition, où en est le renouvellement des hommes et des femmes ?*

— Les jeunes ne se reconnaissent pas dans les leaders qui ont dépassé la cinquantaine, dont je suis, ou qu'ils connaissent depuis leur enfance. Ils veulent un nouveau langage, de nouvelles têtes, de nouvelles méthodes, un esprit d'ouverture sur le monde.

— *Oui, mais enfin vous, vous avez encore de l'appétit politique ?*

— Les activités d'aujourd'hui me plaisent. Si cela n'était plus le cas, je ne le ferais plus.

— *Au fond, plus on avance dans la vie politique...*

— ... et plus on relativise les fonctions et les postes, la qualité des personnes que l'on côtoie. En devenant familier des ténors de la politique, vous vous apercevez que ce sont des hommes et des femmes dont les qualités ne sont pas surnaturelles. Le prisme médiatique brouille la perception.

— Alors finalement, c'est quoi la politique ?

— Un défi humain et collectif. Il s'agit moins d'avoir du génie et de répondre à tout que de faire vivre quelques milliers ou millions de personnes ensemble. C'est le contraire du messianisme politique dans lequel la France baigne depuis des décennies. Arrêtons de penser l'homme politique comme un superman qui sait tout sur tout. Je suis persuadé que nous avons besoin d'élus modernes, de bonne volonté, bons gestionnaires, bons diplomates, concrets et sensibles, et non de demi-dieux. Cela ne les dispense pas de tracer des chemins, comme de rappeler par exemple aux enfants de ce nouveau millénaire que la barbarie et l'extrémisme (de droite comme de gauche) nous guettent même au cœur d'une société soi-disant civilisée et évoluée. Auschwitz et le goulag nous invitent à la prudence et la vigilance. La paix est fragile. La préserver difficile. Raison de plus pour nous mettre à l'œuvre sans délai et participer ainsi à cette tâche exaltante : la reconstruction de nos structures politiques dépassées mais surtout l'avénement d'une forme de démocratie plus proche, plus respectueuse de l'autre et plus vivante...

À cette tâche, nul n'est de trop !

Pour prolonger ce dialogue avec Gilles de Robien,
connectez-vous sur le site Internet www.amiens.com